16	3	2	13
5	10	11	8
9	6	7	12
4	15	14	1

coleção TRANS

Gilles Deleuze

CONVERSAÇÕES

1972-1990

Tradução
Peter Pál Pelbart

editora 34

EDITORA 34

Editora 34 Ltda.
Rua Hungria, 592 Jardim Europa CEP 01455-000
São Paulo - SP Brasil Tel/Fax (11) 3811-6777 www.editora34.com.br

Edição conforme o Acordo Ortográfico da Língua Portuguesa.

Título original:
Pourparlers (1972-1990)

Capa, projeto gráfico e editoração eletrônica:
Bracher & Malta Produção Gráfica

Revisão técnica:
Luiz B. L. Orlandi

Revisão:
Claudia Moraes

1ª Edição - 1992 (7 Reimpressões), 2ª Edição - 2010,
3ª Edição - 2013 (2ª Reimpressão - 2021)

CIP - Brasil. Catalogação-na-Fonte
(Sindicato Nacional dos Editores de Livros, RJ, Brasil)

Deleuze, Gilles, 1925-1995
D348c Conversações (1972-1990) / Gilles Deleuze;
tradução de Peter Pál Pelbart. — São Paulo:
Editora 34, 2013 (3ª Edição).
240 p. (Coleção TRANS)

ISBN 978-85-85490-04-1

Tradução de: Pourparlers (1972-1990)

1. Deleuze, Gilles, 1925-1995 - Entrevistas.
2. Literatura - Discursos, conferências etc. 3. Cinema - Discursos, conferências etc. 4. Psicanálise - Discursos, conferências etc. 5. Filosofia - Discursos, conferências etc. 6. Ciência política - Discursos, conferências etc.
I. Pelbart, Peter Pál. II. Título. III. Série.

CDD - 194

CONVERSAÇÕES

I. De *O anti-Édipo* a *Mil platôs*

II. Cinema

III. Michel Foucault

IV. Filosofia

V. Política

Para facilitar a pesquisa, os confrontos e as correções, as páginas da edição original francesa estão indicadas, entre colchetes e em itálico, ao longo do texto.

As referências dos livros do autor, citados nas entrevistas, podem ser encontradas na "Bibliografia de Gilles Deleuze", ao final deste volume.

Agradeço a Roberto Machado, Luiz Orlandi, Suely Rolnik, Stella Senra e Cláudia Berliner pela generosidade e cuidado com que se dispuseram a rever partes desta tradução, com sugestões preciosas.

Peter Pál Pelbart

[7] Por que reunir textos de entrevistas que se estendem por quase vinte anos? Certas conversações duram tanto tempo, que não sabemos mais se ainda fazem parte da guerra ou já da paz. É verdade que a filosofia é inseparável de uma cólera contra a época, mas também de uma serenidade que ela nos assegura. Contudo, a filosofia não é uma Potência. As religiões, os Estados, o capitalismo, a ciência, o direito, a opinião, a televisão são potências, mas não a filosofia. A filosofia pode ter grandes batalhas interiores (idealismo — realismo etc.), mas são batalhas risíveis. Não sendo uma potência, a filosofia não pode empreender uma batalha contra as potências; em compensação, trava contra elas uma guerra sem batalha, uma guerra de guerrilha. Não pode falar com elas, nada tem a lhes dizer, nada a comunicar, e apenas mantém conversações. Como as potências não se contentam em ser exteriores, mas também passam por cada um de nós, é cada um de nós que, graças à filosofia, encontra-se incessantemente em conversações e em guerrilha consigo mesmo.

Gilles Deleuze

I
DE O *ANTI-ÉDIPO* A *MIL PLATÔS*

CARTA A UM CRÍTICO SEVERO
[11]

Você é encantador, inteligente, malevolente, quase ruim. Mais um esforço... afinal, a carta que você me manda, invocando ora o que *se* diz, ora o que você mesmo pensa, e os dois misturados, é uma espécie de júbilo pela minha suposta infelicidade. Por um lado, você diz que estou acuado, em todos os sentidos, na vida, no ensino, na política, que me tornei uma vedete imunda, que aliás isso não dura muito, e que não tenho saída. Por outro lado, você diz que eu sempre estive a reboque, que sugo o sangue e degusto os venenos de vocês, os verdadeiros experimentadores ou heróis, e que eu mesmo fico à margem, só observando e tirando proveito. Para mim não é nada disso. Já estou tão cheio dos verdadeiros ou falsos esquizos que me converteria com prazer à paranoia. Viva a paranoia! O que você pretende me injetar com sua carta é um pouco de ressentimento (você está acuado, você está acuado, "confesse"...) e um pouco de má consciência (não tem vergonha, está a reboque...); se era só isso, não valia a pena me escrever. Você se vinga por ter feito um livro sobre mim. Sua carta está repleta de uma comiseração fingida e de uma real sede de vingança.

Primeiro, é bom lembrar, apesar de tudo, que não fui eu quem desejou este livro. Você diz porque quis fazê-lo: "Por humor, acaso, sede de dinheiro *[12]* ou de ascensão social". Não vejo como vai satisfazer todas essas coisas assim. Ainda uma vez, é problema seu, e desde o começo eu avisei que este livro não me concernia, que eu não o leria ou só o leria mais tarde, e como um texto referente exclusivamente a você. Você veio me ver pedindo não sei o que de inédito. E na verdade, só para agradá-lo propus uma troca de cartas; seria mais fácil e menos cansativo do que uma entrevista no gravador. Com a condição de que essas cartas fossem publicadas separadas de seu livro, como uma espécie de apêndice. Você já se aproveita disso para distorcer um pouco o nosso acordo, e me censurar por ter reagido como um oráculo, como uma velha Guermantes dizendo "havemos de escrever-lhe", ou como um Rilke recusando seus conselhos a um jovem poeta. Paciência!

É verdade que a benevolência não é o forte, em vocês. Quando eu já não souber amar e admirar pessoas ou coisas (não muitas), me sentirei morto, mortificado. Mas vocês, parece que nasceram completamente amargos, é a arte da piscadela, "comigo não... faço um livro sobre você, mas você vai ver...". De todas as interpretações possíveis, em geral vocês escolhem a mais maldosa ou a mais baixa. Primeiro exemplo: eu gosto de Foucault e o admiro. Escrevi um artigo sobre ele. E ele sobre mim, onde está a frase que você cita: "Um dia talvez o século será deleuziano". Seu comentário: eles se jogam confete. Não passa pela sua cabeça que minha admiração por Foucault possa ser real; e muito menos que a frasezinha de Foucault seja cômica, feita para divertir os que gostam de nós e enfurecer os demais. Um texto que você conhece explica essa malevolência inata dos herdeiros do esquerdismo: "Se tiver peito, tente pronunciar diante de uma assembleia esquerdista a palavra fraternidade ou benevolência. Eles se entregam *[13]* com extrema aplicação ao exercício da animosidade sob todos seus disfarces, da agressividade e ridicularização a propósito de tudo e de todos, presentes ou ausentes, amigos ou inimigos. Não se trata de compreender o outro, mas de vigiá-lo".[1] Sua carta é isto: alta vigilância. Lem-

[1] *Recherches*, número de março de 1973, "Grande Encyclopédie des homosexualités".

bro de um cara da FHAR [Frente Homossexual de Ação Revolucionária] declarando numa assembleia: se a gente não estivesse aqui para ser a má consciência de vocês... Estranho ideal policialesco, o de ser a má consciência de alguém. Também para você, pareceria que fazer um livro sobre (ou contra) mim lhe dá algum poder sobre minha pessoa. Nada disso. Repugna-me tanto a possibilidade de ter má consciência como a de ser a má consciência dos outros.

Segundo exemplo: as minhas unhas, que são longas e não aparadas. No final da carta você diz que minha jaqueta de operário (não é verdade, é uma jaqueta de camponês) corresponde ao corpete plissado de Marilyn Monroe, e minhas unhas, aos óculos escuros de Greta Garbo. E você me inunda com conselhos irônicos e maldosos. Já que você volta tantas vezes ao assunto das unhas, eu explico. Sempre dá para dizer que minha mãe as cortava, e que tem a ver com Édipo e a castração (interpretação grotesca, mas psicanalítica). Também dá para notar, observando a extremidade dos meus dedos, que me faltam as impressões digitais normalmente protetoras, de tal modo que tocar um objeto com a ponta dos dedos, e sobretudo um tecido, me dá uma dor nervosa que exige a proteção de unhas longas (interpretação teratológica e selecionista). Dá para dizer ainda, e é verdade, que o meu sonho é ser não invisível, mas imperceptível, e que compenso esse sonho com unhas que posso enfiar no bolso, pois nada me parece mais chocante do que alguém olhando para elas (interpretação *[14]* psicossociológica). Enfim dá para dizer: "não precisa comer as unhas só porque são suas; se você gosta de unha, coma a dos outros, se quiser ou puder" (interpretação política, Darien). Mas você escolhe a pior interpretação: ele quer se singularizar, se fazer de Greta Garbo. De qualquer modo, é curioso que de todos os meus amigos nenhum jamais tenha notado minhas unhas, achando-as inteiramente naturais, plantadas aí ao acaso, como que pelo vento, que traz as sementes e não faz ninguém falar.

Chego então à sua primeira crítica, onde você diz e repete com todas as letras: você está cercado, você está acuado, *confesse*. Procurador-geral! Não confesso nada. Já que se trata por sua culpa de um livro sobre mim, gostaria de explicar como vejo o que escrevi. Sou de uma geração, uma das últimas gerações que foram mais ou menos assassinadas com a história da filosofia. A história da filosofia exerce em filosofia uma função repressora evidente, é o Édipo propriamente filosófico: "Você não vai se atrever a falar em seu nome enquanto não tiver lido isto e aquilo, e aquilo sobre isto, e isto sobre aquilo". Na minha geração muitos não escaparam disso, outros sim, inventando seus próprios métodos e novas regras, um novo tom. Quanto a mim, "fiz" por muito tempo história da filosofia, li livros sobre tal ou qual autor. Mas eu me compensava de várias maneiras. Primeiro, gostando dos autores que se opunham à tradição racionalista dessa história (e entre Lucrécio, Hume, Espinosa, Nietzsche, há para mim um vínculo secreto constituído pela crítica do negativo, pela cultura da alegria, o ódio à interioridade, a exterioridade das forças e das relações, a denúncia do poder... etc.). O que eu mais detestava era o hegelianismo e a dialética. Meu livro sobre Kant é diferente, gosto dele, eu o fiz como um livro sobre um inimigo, procurando mostrar *[15]* como ele funciona, com que engrenagens — tribunal da Razão, uso comedido das faculdades, submissão tanto mais hipócrita quanto nos confere o título de legisladores. Mas minha principal maneira de me safar nessa época foi concebendo a história da filosofia como uma espécie de enrabada, ou, o que dá no mesmo, de imaculada concepção. Eu me imaginava chegando pelas costas de um autor e lhe fazendo um filho, que seria seu, e no entanto seria monstruoso. Que fosse seu era muito importante, porque o autor precisava efetivamente ter dito tudo aquilo que eu lhe fazia dizer. Mas que o filho fosse monstruoso também representava uma necessidade, porque era preciso passar por toda espécie de descentramentos, deslizes, quebras, emissões secretas que me deram muito prazer. Meu livro sobre Bergson me parece exemplar nesse gênero. E hoje tem gente que morre de rir acusando-me por eu ter escrito até sobre Bergson. É que eles não conhecem o suficiente de história. Não sabem o tanto de ódio que Bergson no início pôde concentrar na Universidade francesa, e como ele serviu — querendo ou não, pouco importa — para aglutinar todo tipo de loucos e marginais, mundanos ou não.

Foi Nietzsche, que li tarde, quem me tirou disso tudo. Pois é impossível submetê-lo ao mesmo tratamento. Filhos pelas costas é ele quem faz. Ele dá um gosto perverso (que nem Marx nem Freud jamais deram a ninguém, ao contrário): o gosto para cada um de dizer coisas simples em nome próprio, de falar por afectos, intensidades, experiências, experimentações. Dizer algo em nome próprio é muito curioso, pois não é em absoluto quando nos tomamos por um eu, por uma pessoa ou um sujeito que falamos em nosso nome. Ao contrário, um indivíduo adquire um verdadeiro nome próprio ao cabo do mais severo exercício de despersonalização, quando se abre às *[16]* multiplicidades que o atravessam de ponta a ponta, às intensidades que o percorrem. O nome como apreensão instantânea de uma tal multiplicidade intensiva é o oposto da despersonalização operada pela história da filosofia, uma despersonalização de amor e não de submissão. Falamos do fundo daquilo que não sabemos, do fundo de nosso próprio subdesenvolvimento. Tornamo-nos um conjunto de singularidades soltas, de nomes, sobrenomes, unhas, animais, pequenos acontecimentos: o contrário de uma vedete. Comecei então a fazer dois livros nesse sentido vagabundo, *Diferença e repetição*, *Lógica do sentido*. Não tenho ilusões: ainda estão cheios de um aparato universitário, são pesados, mas tento sacudir algo, fazer com que alguma coisa em mim se mexa, tratar a escrita como um fluxo, não como um código. E há páginas de que gosto em *Diferença e repetição*, aquelas sobre a fadiga e a contemplação, por exemplo, porque são da ordem do vivido bem vivo, apesar das aparências. Não fui muito longe, mas já era um começo.

E depois houve meu encontro com Félix Guattari, a maneira como nós nos entendemos, completamos, despersonalizamos um no outro, singularizamo-nos um através do outro, em suma, nos amamos. Isso deu O *anti-Édipo*, e foi um novo progresso. Eu me pergunto se uma das razões formais para a hostilidade que às vezes surge contra este livro não é justamente por ter sido feito a dois, uma vez que as pessoas gostam das brigas e partilhas. Então tentam separar o indiscernível ou fixar o que pertence a cada um de nós. Mas visto que cada um, como todo mundo, já é muitos, isso dá muita gente. E sem dúvida não se pode dizer que O *anti-Édipo* esteja livre de todo aparato de saber: ele ainda é bem acadêmico, bastante comportado, e não chega a ser a pop'filosofia ou a pop'análise sonhadas. Mas surpreende-me o seguinte: os que acham sobretudo que este livro é *[17]* difícil são aqueles com mais cultura, principalmente cultura psicanalítica. Eles dizem: o que é isso, o corpo sem órgãos, o que quer dizer máquinas desejantes? Ao contrário, os que sabem pouca coisa, os que não estão envenenados pela psicanálise têm menos problemas, e deixam de lado o que não entendem sem preocupação. É por isso que dissemos que este livro, pelo menos de direito, se dirigia a pessoas com idade entre quinze e vinte anos. É que há duas maneiras de ler um livro. Podemos considerá-lo como uma caixa que remete a um dentro, e então vamos buscar seu significado, e aí, se formos ainda mais perversos ou corrompidos, partimos em busca do significante. E trataremos o livro seguinte como uma caixa contida na precedente, ou contendo-a por sua vez. E comentaremos, interpretaremos, pediremos explicações, escreveremos o livro do livro, ao infinito. Ou a outra maneira: consideramos um livro como uma pequena máquina a-significante; o único problema é: "isso funciona, e como é que funciona?". Como isso funciona para você? Se não funciona, se nada se passa, pegue outro livro. Essa outra leitura é uma leitura em intensidade: algo passa ou não passa. Não há nada a explicar, nada a compreender, nada a interpretar. É do tipo ligação elétrica. Corpo sem órgãos, conheço gente sem cultura que compreendeu imediatamente, graças a seus próprios "hábitos", graças à sua maneira de se fazer um. Essa outra maneira de ler se opõe à anterior porque relaciona imediatamente um livro com o Fora. Um livro é uma pequena engrenagem numa maquinaria exterior muito mais complexa. Escrever é um fluxo entre outros, sem nenhum privilégio em relação aos demais, e que entra em relações de corrente, contracorrente, de redemoinho com outros fluxos, fluxos de merda, de esperma, de fala, de ação, de erotismo, de *[18]* dinheiro, de política etc. Como Bloom, escrever na areia com uma mão, masturbando-se com a outra — dois fluxos, em que relação? Nós, o nosso fora, pelo menos um deles, foi uma certa massa de gente (sobretudo jovens) que estão fartos da psicanálise. Eles estão "acuados", para falar como você, pois continuam mais ou menos se analisando, já pensam contra a psicanálise, mas pensam contra ela em termos psicanalíticos. (Por exemplo, tema de gracejo íntimo, como é que os rapazes da FHAR, as moças do Movimento de Liberação das Mulheres — MLF, e muitos outros ainda, podem fazer análise? Isso não os incomoda? Acreditam nisso? O que será que procuram no divã?) É a existência dessa corrente que tornou possível *O anti-Édipo*. E se os psicanalistas, dos mais estúpidos aos mais inteligentes, têm em geral uma reação hostil a esse livro, embora mais defensiva do que agressiva, evidentemente não é só por causa do seu conteúdo, mas em razão dessa corrente que vai crescer, de pessoas que estão cada vez mais cheias de se ouvirem dizer "papai, mamãe, Édipo, castração, regressão", e de se verem propor da sexualidade em geral, e da sua em particular, uma imagem propriamente imbecil. Como se diz, os psicanalistas deverão levar em conta as "massas", as pequenas massas. Recebemos belas cartas nesse sentido, vindas de um lumpemproletariado da psicanálise, muito mais belas que os artigos da crítica.

Essa maneira de ler em intensidade, em relação com o fora, fluxo contra fluxo, máquina com máquinas, experimentações, acontecimentos em cada um que nada têm a ver com um livro, fragmentação do livro, maquinação dele com outras coisas, qualquer coisa... etc., é uma maneira amorosa. Ora, você o leu exatamente assim. E o trecho da sua carta que me parece belo, maravilhoso, até, é onde você conta como o leu, como o usou para os seus próprios fins. Mas que pena! *[19]* Infelizmente você volta rápido demais às recriminações: você não vai se sair dessa, vamos ver vocês no segundo tomo, estamos de olho, só esperando... Não, não é nada disso, já temos nossa posição. Vamos continuar porque gostamos de trabalhar juntos. Mas não será de modo algum uma continuação. Com a ajuda do fora, faremos uma coisa tão diferente em termos de linguagem e de pensamento, que as pessoas que nos "esperam" serão obrigadas a dizer: eles ficaram completamente loucos, ou são safados, ou foram incapazes de continuar. Decepcionar é um prazer. Nem de longe queremos nos fingir de loucos, mas enlouqueceremos à nossa maneira e na nossa hora, não precisam nos empurrar. Sabemos que *O anti-Édipo* primeiro tomo ainda está cheio de concessões, entulhado de coisas ainda eruditas e que se parecem com conceitos. Pois bem, mudaremos, já mudamos, vamos de vento em popa. Alguns pensam que vamos continuar no mesmo embalo, houve até quem acreditasse que formaríamos um quinto grupo psicanalítico. Que pobreza! Nós sonhamos com outras coisas, mais clandestinas e mais alegres. Não faremos mais concessão alguma, já que necessitamos menos delas. E sempre encontraremos aliados que queiramos ou que nos queiram.

Você me julga acuado. Não é verdade: nem Félix nem eu nos tornamos os subchefes de uma subescola. E se alguém usa assim *O anti-Édipo*, que se dane, visto que já estamos bem longe. Você me quer acuado politicamente, reduzido a assinar manifestos e petições, "superassistente social": não é verdade, e entre todas as homenagens que se deve a Foucault, está a de ter por si só e pela primeira vez quebrado as máquinas de cooptação, e de ter tirado o intelectual de sua situação política clássica de intelectual. Vocês, por sua vez, ainda estão na provocação, na publicação, nos questionários, nas confissões públicas ("confesse, confesse..."). Sinto chegar, ao *[20]* contrário, a idade próxima de uma clandestinidade meio voluntária meio imposta, que será o mais jovem desejo, inclusive político. Você me quer acuado profissionalmente, porque dei aula por dois anos na Universidade de Vincennes, e porque dizem, diz você, que ali não faço mais nada. Você acredita que enquanto eu dava aula estava na contradição, "recusando a posição do professor mas condenado a ensinar, retomando a rédea quando todo mundo a havia largado": não sou sensível às contradições, não sou uma bela alma vivendo o trágico de sua condição. Falei porque o desejava muito, fui apoiado, injuriado, interrompido, por militantes, falsos loucos, loucos de verdade, imbecis, gente muito inteligente, era uma farra viva em Vincennes. Isso durou dois anos, foi o suficiente, é preciso mudar. Então, agora que já não falo nas mesmas condições, você diz ou conta que se diz que já não faço nada, e que estou impotente, gorda rainha impotente. Não é menos falso: eu me escondo, continuo fazendo minhas coisas com o mínimo de gente possível, e você, em vez de me ajudar a não virar vedete, vem pedir que eu preste contas, e me deixa a opção entre a impotência e a contradição. Por último, você me quer acuado no plano pessoal, familiar. Aí você não voa muito alto. Explica que tenho uma mulher, e uma filha que brinca de boneca e triangula pelos cantos. E acha isso engraçado em relação a *O anti-Édipo*. Você também poderia acrescentar que tenho um filho logo em idade de se analisar. Se você acredita que são as bonecas que produzem o Édipo, ou o casamento por si só, é estranho. Édipo não é uma boneca, é uma secreção interna, é uma glândula, e nunca se luta contra as secreções edipianas sem lutar contra si mesmo, sem experimentar contra si mesmo, sem se tornar capaz de amar e de desejar (em vez da vontade choramingona de ser amado, que nos conduz, todos, *[21]* ao psicanalista). Amores não edipianos não é pouca coisa. E você deveria saber que não basta ser celibatário, sem filhos, bicha, membro de grupos, para evitar Édipo, já que há o Édipo de grupo, homossexuais edipianos, MLF edipianizado... etc. Testemunha disso é um texto, "Os árabes e nós",[2] que é ainda mais edipiano que minha filha.

Portanto, não tenho nada a "confessar". O sucesso relativo de *O anti-Édipo* não nos compromete, nem a Félix nem a mim; de certo modo não nos diz respeito, já que estamos em outros projetos. Passo então à sua outra crítica, mais dura e mais penosa, que consiste em dizer que sempre estive a reboque, poupando meus esforços, me aproveitando das experimentações dos outros, bichas, drogados, alcoólatras, masoquistas, loucos... etc, degustando vagamente suas delícias e seus venenos sem jamais arriscar nada. Você usa contra mim um texto que eu mesmo escrevi, onde pergunto como não tornar-se um conferencista profissional sobre Artaud, um amador mundano de Fitzgerald. Mas o que sabe você de mim, uma vez que eu acredito no segredo — quer dizer, na potência do falso — mais do que nos relatos que revelam uma deplorável crença na exatidão e na verdade? Se não me mexo, se não viajo, tenho como todo mundo minhas viagens no mesmo lugar, que não posso medir senão com minhas emoções, e exprimir da maneira a mais oblíqua e indireta naquilo que escrevo. E minha relação com as bichas, os alcoólatras ou os drogados, o que isso tem a ver com o assunto, se obtenho em mim efeitos análogos aos deles por outros meios? O que interessa não é saber se me aproveito do que quer que seja, mas

[2] *Recherches, ibidem.*

se tem gente que faz tal ou qual coisa em seu canto, eu no meu, e se há encontros possíveis, acasos, casos fortuitos, e não alinhamentos, *[22]* aglutinações, toda essa merda em que se supõe que cada um deva ser a má consciência e o inspetor do outro. Eu não devo nada a vocês, nem vocês a mim. Não há nenhuma razão para que eu frequente seus guetos, já que tenho os meus. O problema nunca consistiu na natureza deste ou daquele grupo exclusivo, mas nas relações transversais em que os efeitos produzidos por tal ou qual coisa (homossexualismo, droga etc.) *sempre podem ser produzidos por outros meios*. Contra os que pensam "eu sou isto, eu sou aquilo", e que pensam assim de uma maneira *psicanalítica* (referência à sua infância ou destino), é preciso pensar em termos incertos, improváveis: eu não sei o que sou, tantas buscas ou tentativas necessárias, não narcísicas, não edipianas — nenhuma bicha jamais poderá dizer com certeza "eu sou bicha". O problema não é ser isto ou aquilo no homem, mas antes o de um devir inumano, de um devir universal animal: não tomar-se por um animal, mas desfazer a organização humana do corpo, atravessar tal ou qual zona de intensidade do corpo, cada um descobrindo as suas próprias zonas, e os grupos, as populações, as espécies que o habitam. Por que não teria direito de falar da medicina sem ser médico, já que falo dela como um cão? Por que razão não falar da droga sem ser drogado, se falo dela como um passarinho? E por que eu não inventaria um discurso sobre alguma coisa, ainda que esse discurso seja totalmente irreal e artificial, sem que me peçam meus títulos para tal? A droga às vezes faz delirar, por que eu não haveria de delirar sobre a droga? Para que serve essa sua "realidade"? Raso realismo, o de vocês. E então por que você me lê? O argumento da experiência reservada é um mau argumento reacionário. A frase de *O anti-Édipo* que eu prefiro é: não, nós nunca vimos esquizofrênicos.

Afinal de contas, o que há em sua carta? Nada *[23]* seu mesmo, exceto o tal belo trecho. Um conjunto de rumores, diz que diz, apresentados com agilidade como se viessem dos outros ou de você mesmo. Talvez você a quisesse assim, uma espécie de pastiche de boatos ressoando entre si. É uma carta mundana, bastante esnobe. Você me pede um "inédito", depois me escreve maldades. Minha carta, por causa da sua, parece uma justificação. Assim não se vai longe. Você não é um árabe, é um chacal. Você faz de tudo para que eu me transforme nisso que você critica, pequena vedete, vedete, vedete. Eu não lhe peço nada, mas gosto muito de você — para pôr fim aos rumores.

(In Michel Cressole, *Deleuze*, Paris, Éditions Universitaires, 1973)

ENTREVISTA SOBRE O *ANTI-ÉDIPO*
(com Félix Guattari)
[24]

— *Um de vocês é psicanalista, o outro filósofo; o livro de vocês coloca em causa a psicanálise e a filosofia, e nos introduz a uma outra coisa: a esquizoanálise. Qual é então o lugar comum deste livro? Como foi pensada essa empreitada, e que transformações ela provocou em cada um?*

GILLES DELEUZE — Seria preciso falar como as menininhas, no condicional: a gente teria se encontrado, teria acontecido isso... Há dois anos e meio encontrei Félix. Ele tinha a impressão que eu estava adiantado em relação a ele, esperava alguma coisa. É que eu não tinha nem as responsabilidades de um psicanalista, nem a culpa ou os condicionamentos de um analisado. Eu não possuía absolutamente lugar algum, o que me dava mobilidade, e achava principalmente engraçado como a psicanálise era miserável. Mas eu trabalhava unicamente no plano dos conceitos, e ainda de maneira tímida. Félix me falou do que já na época ele chamava de máquinas desejantes: toda uma concepção teórica e prática do inconsciente-máquina, do inconsciente esquizofrênico. Então tive a impressão que era ele quem estava adiantado em relação a mim. Mas com seu inconsciente-máquina ele todavia falava em termos de estrutura, de significante, de falo... etc. Forçosamente, já que *[25]* devia tantas coisas a Lacan (eu também). Entretanto, eu me dizia que a coisa andaria ainda melhor se achássemos os conceitos adequados, em vez de nos servirmos de noções que nem sequer são as de Lacan criador, mas as de uma ortodoxia que se formou em torno dele. É Lacan quem diz: não me ajudam. Iríamos ajudá-lo esquizofrenicamente. E é claro que devemos tanto mais a Lacan quanto renunciamos a noções como as de estrutura, simbólico ou significante, totalmente impróprias, e que Lacan mesmo sempre soube revirar para mostrar seu avesso.

Félix e eu decidimos então trabalhar juntos. No começo isso aconteceu por cartas. Depois, a cada tanto, sessões em que um escutava o outro. Divertimo-nos muito. Entediamo-nos muito. Sempre um de nós falava demais. Acontecia frequentemente de um propor uma noção que não dizia nada ao outro, e este se servir dela só meses depois, num contexto diferente. De resto líamos muito, não livros inteiros, mas pedaços. Às vezes achávamos coisas completamente idiotas, que nos confirmavam os estragos de Édipo e a grande miséria da psicanálise. Outras vezes, coisas que nos pareciam admiráveis e que tínhamos vontade de explorar. E escrevíamos muito. Félix trata a escrita como um fluxo esquizo que arrasta em seu curso todo tipo de coisas. Quanto a mim, interessa-me que uma página fuja por todos os lados, e no entanto que esteja bem fechada sobre si mesma, como um ovo. Além disso, que haja num livro retenções, ressonâncias, precipitações, e um monte de larvas. Escrevíamos realmente a dois, isso não constituía um problema. Fizemos sucessivas versões.

FÉLIX GUATTARI — Eu, de minha parte, tinha "lugares" demais, pelo menos quatro. Vinha da Via comunista, depois da oposição de esquerda; antes de *[26]* Maio de 68 agitava-se muito, escrevia-se um pouco, por exemplo as "nove teses da Oposição de esquerda". Também participei da clínica de La Borde em Cour-Cheverny, desde sua constituição por Jean Oury em 1953, no prolongamento da experiência Tosquelles: tentava-se definir prática e teoricamente as bases da psicoterapia institucional (quanto a mim, experimentava noções como "transversalidade" ou "fantasma de grupo"). No mais, tinha sido formado por Lacan, desde o começo dos seminários. Por último, tinha uma espécie de lugar ou de discurso esquizo, sempre fui apaixonado, atraído pelos esquizos. É preciso conviver com eles para compreender. Os problemas dos esquizos pelo menos são verdadeiros problemas, não problemas de neurótico. Minha primeira psicoterapia foi feita com um esquizo, com a ajuda de um gravador.

Ora, esses quatro lugares, esses quatro discursos não eram apenas lugares e discursos, mas modos de vida, necessariamente um pouco dilacerados. Maio de 68 foi um abalo, para Gilles e para mim, bem como para tantos outros: na época não nos conhecíamos, mas mesmo assim este livro, atualmente, é uma continuação de 68. Eu precisava não unificar, mas juntar um pouco esses quatro modos de vida. Já tinha algumas direções, por exemplo a necessidade de interpretar a neurose a partir da esquizofrenia. Mas não possuía a lógica necessária a essa junção. Eu havia escrito um texto para *Recherches*, "De um signo a outro", muito marcado por Lacan, porém onde já não havia mais significante. No entanto, eu ainda estava emperrado numa espécie de dialética. O que eu esperava do trabalho com Gilles eram coisas como essas: o corpo sem órgãos, as multiplicidades, a possibilidade de uma lógica das multiplicidades conectada ao corpo sem órgãos. Em nosso livro, as operações lógicas são também operações físicas. E o que buscávamos em comum era um discurso ao mesmo *[27]* tempo político e psiquiátrico, mas sem reduzir uma dimensão à outra.

— *Vocês contrapõem constantemente um inconsciente esquizoanalítico, feito de máquinas desejantes, ao inconsciente psicanalítico, que criticam de várias maneiras. Vocês medem tudo pela esquizofrenia. Mas será que se pode realmente afirmar, como fazem, que Freud ignorava o domínio das máquinas, ou pelo menos dos aparelhos? E que ele não compreendeu o campo da psicose?*

F. G. — É complicado. Sob certos aspectos, Freud sabia perfeitamente que seu verdadeiro material clínico, sua base clínica, lhe vinha da psicose, via Bleuler e Jung. E isso não cessará: tudo o que surgir de novo na psicanálise, de Melanie Klein a Lacan, virá da psicose. Por outro lado, o caso Tausk: Freud talvez receasse uma confrontação dos conceitos analíticos com a psicose. No comentário sobre Schreber encontram-se todas as ambiguidades possíveis. Quanto aos esquizos, tem-se a impressão de que Freud não gosta em absoluto deles, diz coisas horríveis a seu respeito, totalmente desagradáveis... Mas quando você diz que Freud não ignora as máquinas do desejo, é verdade. É justamente essa a descoberta da psicanálise, o desejo, as maquinarias do desejo. Isso não para de zumbir, de ranger, de produzir, numa análise. E os psicanalistas o tempo todo estão suscitando máquinas, ou ressuscitando-as sob fundo esquizofrênico. Porém talvez eles façam ou desencadeiem coisas sobre as quais não têm uma consciência clara. Pode ser que sua prática implique operações esboçadas que não aparecem com clareza na teoria. Não há dúvida que a psicanálise abalou o conjunto da medicina mental, funcionando como uma máquina infernal. Pouco importa que desde o início houve concessões, o fato é que ela abalava, impunha novas articulações, revelava *[28]* o desejo. Você mesmo invoca os aparelhos psíquicos tal como Freud os analisa: há aí todo um aspecto maquinaria, produção de desejo, unidades de produção. Além disso há o outro aspecto, da personificação desses aparelhos (o Superego, o Eu, o Isso), uma encenação teatral que substitui as verdadeiras forças produtivas do inconsciente por simples valores representativos. Então, as máquinas de desejo se tornam cada vez mais máquinas de teatro: o superego, a pulsão de morte como deus *ex machina*. Elas tendem mais e mais a funcionar por trás do pano, nos bastidores. Ou viram máquinas de ilusão, de efeitos. Toda a produção desejante é esmagada. O que nós dizemos, é: Freud descobre o desejo enquanto libido, desejo que produz, e ao mesmo tempo re-aliena sem parar a libido na representação familiar (Édipo). A psicanálise tem a mesma história que a economia política, tal como Marx a viu: Adam Smith e Ricardo descobrem a essência da riqueza enquanto trabalho que produz, e não param de re-aliená-la na representação da propriedade. É o assentamento do desejo sobre uma cena familiar que faz com que a psicanálise desconheça a psicose, só se reconheça na neurose, e dê da própria neurose uma interpretação que desfigura as forças do inconsciente.

— *É o que querem dizer quando falam de uma "virada idealista" na psicanálise, com a introdução do Édipo, e quando tentam opor um novo materialismo ao idealismo em psiquiatria? Como se faz a articulação entre materialismo e idealismo no domínio psicanalítico?*

G. D. — O que atacamos não é uma ideologia que seria a da psicanálise. É a própria psicanálise, em sua prática e sua teoria. A esse respeito não há contradição entre dizer que é *[29]* algo formidável, e que já começa mal. A virada idealista está lá desde o princípio. Não é contraditório: flores magníficas e, no entanto, é podre desde o início. Chamamos idealismo da psicanálise todo um sistema de assentamentos, de reduções na teoria e prática analíticas: redução da produção desejante a um sistema de representações ditas inconscientes, e a formas de causação, de expressão e de compreensão correspondentes; redução das fábricas do inconsciente a uma cena de teatro, Édipo, Hamlet; redução dos investimentos sociais da libido aos investimentos familiares, assentamento do desejo sobre coordenadas familares, ainda o Édipo. Não queremos dizer que a psicanálise inventa o Édipo. Ela responde à demanda, as pessoas chegam com seu Édipo. A psicanálise não faz mais do que elevar Édipo ao quadrado, Édipo de transferência, Édipo de Édipo, no divã como uma terrinha lamacenta. Porém, familiar ou analítico, o Édipo é fundamentalmente um aparelho de repressão das máquinas desejantes, e de modo algum uma formação do próprio inconsciente. Não queremos dizer que o Édipo, ou seu equivalente, varie conforme as formas sociais consideradas. Antes acreditaríamos, com os estruturalistas, que é um invariante. Mas é o invariante de um desvio das forças do inconsciente. É por isso que atacamos o Édipo, não em nome de sociedades que não o comportariam, mas naquela que o comporta eminentemente, a nossa, a capitalista. Não o atacamos em nome de ideais pretensamente superiores à sexualidade, mas em nome da própria sexualidade que não se reduz ao "sujo segredinho familiar". E não fazemos diferença alguma entre as variações imaginárias do Édipo e um invariante estrutural, visto que é sempre o mesmo impasse nos dois extremos, o mesmo esmagamento das máquinas desejantes. O que a psicanálise chama de resolução ou *[30]* dissolução do Édipo é absolutamente cômico, é precisamente a operação da dívida infinita, a análise interminável, o contágio do Édipo, sua transmissão de pai para filho. É alucinante a quantidade de bobagens que se pôde dizer em nome do Édipo, a começar sobre a criança.

Uma psiquiatria materialista é a que introduz a produção no desejo e, inversamente, o desejo na produção. O delírio não se refere ao pai, nem sequer ao Nome do Pai, mas aos nomes da História. É como a imanência das máquinas desejantes no interior das grandes máquinas sociais. Ele é o investimento do campo social histórico pelas máquinas desejantes. O que a psicanálise compreendeu da psicose foi a linha "paranoia", que leva ao Édipo, à castração... etc., todos esses aparelhos repressivos injetados no inconsciente. Mas o fundo esquizofrênico do delírio, a linha "esquizofrenia", que traça um desenho não familar, escapa-lhe totalmente. Foucault dizia que a psicanálise ficou surda às vozes da desrazão. De fato, ela neurotiza tudo; e através dessa neurotização contribui não só para produzir o neurótico de cura interminável, mas também para reproduzir o psicótico como aquele que resiste à edipianização. Porém a psicanálise fracassa inteiramente na abordagem direta da esquizofrenia. Assim como lhe escapa a natureza inconsciente da sexualidade: por idealismo, por idealismo familiar e teatral.

— *O livro de vocês têm um aspecto psiquiátrico e psicanalítico, mas também uma dimensão política, econômica. Como concebem a unidade desses dois aspectos? Estariam retomando, de certa maneira, a tentativa de Reich? Falam de investimentos fascistas, tanto ao nível do desejo quanto do campo social. Há aí algo que ao mesmo tempo diz respeito à política e à psicanálise. Mas percebe-se mal o que vocês tentam opor aos investimentos fascistas. O que serve de [31] obstáculo ao fascismo? A questão não se refere portanto apenas à unidade deste livro, mas também às consequências práticas, e elas são extremamente importantes. Pois se nada pode impedir os "investimentos fascistas", se nenhuma força pode contê-los, se só podemos* constatar *sua existência, o que quer dizer a reflexão política que vocês fazem, e qual é a intervenção dela no real?*

F. G. — Sim, como muitos outros nós anunciamos o desenvolvimento de um fascismo generalizado. Ainda não se viu nada, não há razão alguma para que o fascismo não se desenvolva. Melhor dizendo: se não se montar uma máquina revolucionária capaz de se fazer cargo do desejo e dos fenômenos de desejo, o desejo continuará sendo manipulado pelas forças de opressão e repressão, ameaçando, mesmo por dentro, as máquinas revolucionárias. O que distinguimos são duas espécies de investimento do campo social, os investimentos pré-conscientes de interesse e os investimentos inconscientes de desejo. Os investimentos de interesse podem ser realmente revolucionários, e, no entanto, podem deixar subsistir investimentos inconscientes de desejo não revolucionários, ou até fascistas. Num certo sentido, o que propomos como esquizoanálise teria por ponto de aplicação ideal os grupos, e grupos militantes: pois é aí que se dispõe mais imediatamente de um material extrafamiliar, e que aparece o exercício por vezes contraditório dos investimentos. A esquizoanálise é uma análise militante, libidinal-econômica, libidinal-política. Quando opomos os dois tipos de investimento social, não estamos contrapondo o desejo enquanto fenômeno romântico de luxo, aos interesses que seriam exclusivamente econômicos e políticos. Acreditamos, ao contrário, que os interesses sempre se encontram e se dispõem onde o desejo lhes predetermina o lugar. Por isso, não há revolução conforme aos *[32]* interesses das classes oprimidas se o desejo mesmo não tiver tomado uma posição revolucionária mobilizando as próprias formações do inconsciente. Pois de qualquer modo o desejo faz parte da infraestrutura (não acreditamos de modo algum num conceito como o de ideologia, que não dá bem conta dos problemas: não há ideologias). O que ameaça eternamente os aparelhos revolucionários é elaborarem uma concepção puritana dos interesses, e que são sempre realizados apenas em favor de uma fração da classe oprimida, de tal modo que essa fração reproduz uma casta e uma hierarquia totalmente opressivas. Quanto mais se sobe numa hierarquia, mesmo pseudorrevolucionária, menos possível se torna a expressão do desejo (em compensação, ela aparece nas organizações de base, por mais deformada que seja). A esse fascismo do poder, nós contrapomos as linhas de fuga ativas e positivas, porque essas linhas conduzem ao desejo, às máquinas do desejo e à organização de um campo social de desejo: não se trata de cada um fugir "pessoalmente", mas de fazer fugir, como quando se arrebenta um cano ou um abcesso. Fazer passar fluxos, sob os códigos sociais que os querem canalizar, barrar. Não existe posição de desejo contra a opressão, por mais local ou minúscula que seja essa posição, que não ponha em causa progressivamente o conjunto do sistema capitalista, e que não contribua para fazê-lo fugir. O que denunciamos são todos os temas da oposição homem-máquina, o homem alienado pela máquina... etc. Desde o movimento de Maio de 68, o poder, apoiado pelas pseudo-organizações de esquerda, tentou nos fazer crer que se tratava de jovens excessivamente mimados lutando contra a sociedade de consumo, enquanto os verdadeiros trabalhadores sabiam perfeitamente onde estavam seus verdadeiros interesses... etc. Nunca houve luta contra a sociedade de consumo, essa noção imbecil. Dizemos, ao contrário, que não há consumo suficiente, que o artifício não foi longe *[33]* o bastante: nunca os interesses passarão para o lado da revolução se as linhas de desejo não atingirem o ponto em que desejo e máquina se transformem numa única e mesma coisa, desejo e artifício, a ponto de se voltarem contra os chamados dados naturais da sociedade capitalista, por exemplo. Ora, esse ponto é ao mesmo tempo o mais fácil de atingir, porque pertence ao mais minúsculo desejo, mas também o mais difícil, porque implica todos os investimentos do inconsciente.

G. D. — Nesse sentido, o problema da unidade deste livro não se coloca. De fato, há dois aspectos: o primeiro é uma crítica do Édipo e da psicanálise; o segundo, um estudo do capitalismo e de suas relações com a esquizofrenia. Ora, o primeiro aspecto depende estreitamente do segundo. Atacamos a psicanálise nos seguintes pontos, que concernem sua prática não menos que sua teoria: seu culto ao Édipo, sua redução à libido e aos investimentos familiares, mesmo sob as formas indiretas e generalizadas do estruturalismo ou do simbolismo. Nós dizemos que a libido procede a investimentos inconscientes distintos dos investimentos pré-conscientes de interesse, mas que incidem no campo social não menos que os investimentos de interesse. Mais uma vez o delírio: perguntaram-nos se alguma vez havíamos visto um esquizofrênico, é nossa vez de perguntar aos psicanalistas se alguma vez escutaram um delírio. O delírio é histórico-mundial, de modo algum familiar. Delira-se sobre os chineses, os alemães, Joana D'Arc e o Grão-Mongol, sobre os arianos e os judeus, sobre o dinheiro, o poder e a produção, e não em absoluto sobre papai-mamãe. Ou melhor: o famoso romance familiar depende estreitamente dos investimentos sociais inconscientes que aparecem no delírio, e não o contrário. Tentamos mostrar em que sentido isso já é verdade no caso da criança. Propomos uma esquizoanálise que se opõe à psicanálise. Basta tomar os dois pontos em que a psicanálise tropeça: *[34]* não consegue atingir as máquinas desejantes de ninguém, porque se limita às figuras ou estruturas edipianas; não chega aos investimentos sociais da libido, porque se restringe aos investimentos familiares. É o que se vê bem na psicanálise exemplar *in vitro* do presidente Schreber. O que nos interessa é o que não interessa à psicanálise: o que são as tuas máquinas desejantes? Qual é a tua maneira de delirar o campo social? A unidade de nosso livro está em que as insuficiências da psicanálise nos parecem estar ligadas tanto a sua profunda pertença à sociedade capitalista quanto ao seu desconhecimento do fundo esquizofrênico. A psicanálise é como o capitalismo: tem por limite a esquizofrenia, mas não cessa de repelir o limite e de tentar conjurá-lo.

— *Esse livro está cheio de referências, de textos utilizados alegremente, no seu sentido próprio ou em sentido contrário; em todo caso, é um livro que tem por solo uma "cultura" precisa. Dito isto, vocês atribuem muita importância à etnologia, e pouca à linguística; muita importância a certos romancistas ingleses e americanos, mas quase nenhuma às teorias contemporâneas da escrita. Por que esse ataque especialmente contra a noção de significante, e por que razão recusam seu sistema?*

F. G. — O significante não nos serve para nada. Não somos os únicos, nem os primeiros. Vejam Foucault, ou o livro recente de Lyotard. Se somos obscuros em nossa crítica do significante, é porque se trata de uma entidade difusa que assenta tudo sobre uma máquina de escrita obsoleta. A oposição exclusiva e coercitiva entre significante e significado está tomada pelo imperialismo do Significante, tal como ele emerge com a máquina de escrita. Tudo passa a ser referido, de direito, à letra. É a própria lei da sobrecodificação *[35]* despótica. Nossa hipótese é a seguinte: o signo do grande Déspota (a Idade da escrita), ao retirar-se, teria deixado uma praia decomponível em elementos mínimos com relações regradas entre eles. Tal hipótese pelo menos dá conta do caráter tirânico, terrorista e castrador do significante. É um enorme arcaísmo, que remete aos grandes impérios. Nem sequer temos certeza que o significante funcione para a linguagem. Foi por essa razão que recorremos a Hjelmslev: já há muito tempo ele fez uma espécie de teoria espinosista da linguagem, onde os fluxos, de conteúdo e de expressão, prescindem de significante. A linguagem como sistema de fluxos contínuos de conteúdo e de expressão, recortado por agenciamentos maquínicos de figuras discretas e descontínuas. O que não desenvolvemos neste livro foi uma concepção dos agentes coletivos de enunciação, que pretenderia ultrapassar o corte entre sujeito de enunciação e sujeito do enunciado. Somos puramente funcionalistas: o que nos interessa é como alguma coisa anda, funciona, qual é a máquina. Ora, o significante ainda pertence ao domínio da questão "o que isso quer dizer"?, é esta questão mesma enquanto questão interdita. Mas para nós o inconsciente não quer dizer nada, a linguagem tampouco. O que explica o fracasso do funcionalismo é que tentaram instaurá-lo em domínios que não são os seus — grandes conjuntos estruturados: estes não podem formar-se, não podem ser formados da mesma maneira que funcionam. Em compensação, o funcionalismo impera no mundo das micromultiplicidades, das micromáquinas, das máquinas desejantes, das formações moleculares. Neste nível, as máquinas não são qualificadas como isto ou aquilo, como uma máquina linguística, por exemplo; há elementos linguísticos em qualquer máquina, junto com outros elementos. O inconsciente é um microinconsciente, ele é molecular, a esquizoanálise é *[36]* uma microanálise. A única questão é como isso funciona, com intensidades, fluxos, processos, objetos parciais, todas coisas que não querem dizer nada.

G. D. — Pensamos a mesma coisa de nosso livro. Trata-se de saber se ele funciona, e como, e para quem. Ele mesmo é uma máquina. Não se trata de o reler, será preciso fazer outra coisa. É um livro que fizemos com alegria. Não nos dirigimos aos que consideram que a psicanálise vai bem e tem uma visão justa do inconsciente. Nós nos dirigimos àqueles que acham que toda essa história de Édipo, castração, pulsão de morte... etc. é bem monótona, e triste, um rom-rom. Nós nos dirigimos aos inconscientes que protestam. Buscamos aliados. Precisamos de aliados. E temos a impressão de que esses aliados já existem, que eles não esperaram por nós, que tem muita gente que está farta, que pensa, sente e trabalha em direções análogas: não é questão de moda, mas de um "ar do tempo" mais profundo, em que pesquisas convergentes estão sendo realizadas em domínios muito diversos. Por exemplo em etnologia. Em psiquiatria. Ou então o que faz Foucault: nosso método não é o mesmo, mas temos a impressão de que nos encontramos com ele em diversos pontos, que nos parecem essenciais, caminhos que ele foi o primeiro a traçar. É bem verdade que lemos muito. Mas desse jeito, um pouco ao acaso. Nosso problema certamente não é o de um retorno a Freud, nem a Marx. Não é uma teoria da leitura. O que buscamos num livro é a maneira pela qual ele faz passar alguma coisa que escapa aos códigos: fluxos, linhas de fuga ativas revolucionárias, linhas de descodificação absoluta que se opõem à cultura. Mesmo no caso dos livros há estruturas edipianas, códigos e ligaduras edipianas tanto mais sorrateiras quanto são abstratas, não figurativas. O que encontramos *[37]* nos grandes romancistas ingleses ou americanos é este dom que os franceses raramente têm, as intensidades, os fluxos, os livros-máquina, os livros-uso, os esquizo-livros. Nós temos Artaud e uma metade de Beckett. Talvez critiquem nosso livro por ser literário demais, mas temos certeza de que uma crítica dessa virá de professores de literatura. Será culpa nossa se Lawrence, Miller, Kerouac, Burroughs, Artaud ou Beckett sabem mais de esquizofrenia que os psiquiatras e os psicanalistas?

— Vocês não estarão se expondo a uma crítica mais grave? A esquizoanálise que propõem na verdade é uma desanálise. Talvez digam que vocês valorizam a esquizofrenia de uma maneira romântica e irresponsável. E até que tendem a confundir o revolucionário com o esquizo. Que atitude teriam diante dessas críticas eventuais?

G. D. e F. G. — Sim, uma escola de esquizofrenia não seria mal. Liberar os fluxos, ir cada vez mais longe no artifício: o esquizo é alguém descodificado, desterritorializado. Dito isto, não somos responsáveis pelos contrassensos. Sempre haverá gente interessada em fazê-los propositalmente (vejam os ataques contra Laing e a antipsiquiatria). Recentemente no *L'Observateur* apareceu um artigo cujo autor-psiquiatra dizia: sou muito corajoso, eu denuncio as correntes modernas da psiquiatria e da antipsiquiatria. Nada disso. Ele escolheu justo o momento em que a *reação política* se fortalece contra toda e qualquer tentativa de mudar o que quer que seja no hospital psiquiátrico e na indústria farmacêutica. Por trás dos contrassensos sempre há uma política. Nós colocamos um problema bem simples, semelhante ao de Burroughs a propósito da droga: será que é possível captar a potência da droga sem se drogar, sem se produzir como um farrapo drogado? É a mesma *[38]* coisa para a esquizofrenia. Nós distinguimos a esquizofrenia enquanto processo e a produção do esquizo como entidade clínica boa para o hospital: os dois estão antes em razão inversa. O esquizo do hospital é alguém que tentou alguma coisa e que falhou, desmoronou. Não dizemos que o revolucionário seja esquizo. Afirmamos que há um processo esquizo, de descodificação e de desterritorialização, que só a atividade revolucionária impede de virar produção de esquizofrenia. Colocamos um problema que concerne à relação estreita entre o capitalismo e a psicanálise, de um lado, e entre os movimentos revolucionários e a esquizoanálise, de outro. Paranoia capitalista e esquizofrenia revolucionária; podemos falar assim porque não partimos de um sentido psiquiátrico desses termos, ao contrário, partimos de suas determinações sociais e políticas, de onde decorre sua aplicação psiquiátrica apenas em certas condições. A esquizoanálise tem um único objetivo, que a máquina revolucionária, a máquina artística, a máquina analítica se tornem peças e engrenagens umas das outras. Para tomar ainda uma vez o caso do delírio, parece-nos que ele tem dois polos, um polo paranoico fascista e um polo esquizo-revolucionário. Ele não para de oscilar entre esses polos. É isso que nos interessa: a esquize revolucionária por oposição ao significante despótico. Em todo caso, não vale a pena protestar de antemão contra os contrassensos, não se pode prevê-los nem lutar contra eles quando já estão feitos. Mais vale fazer outra coisa, trabalhar com aqueles que vão no mesmo sentido. Quanto a ser responsável ou irresponsável, não conhecemos esses termos, são noções de polícia ou de psiquiatria forense.

(*L'Arc*, nº 49, 1972, entrevista a Catherine Backès-Clément)

ENTREVISTA SOBRE *MIL PLATÔS*
[39]

CHRISTIAN DESCAMPS — *Como estão agenciados seus mil platôs? O livro* Mil platôs *não se dirige apenas a especialistas; parece composto em diversos modos, no sentido musical do termo. Não está organizado em capítulos que desenvolveriam essências. Tomemos o sumário, está cheio de acontecimentos. 1914 é a guerra mas também a psicanálise do Homem dos Lobos; 1947 é o momento em que Artaud encontra o corpo sem órgãos; 1874, o ano em que Barbey d'Aurevilly teoriza a novela; 1227 é a morte de Gengis Khan, 1837 a de Schumann... As datas aqui são acontecimentos, marcas que não apontam para uma cronologia progressiva. Os platôs de vocês estão repletos de acidentes...*

— É como um conjunto de anéis quebrados. Eles podem penetrar uns nos outros. Cada anel, ou cada platô, deveria ter seu clima próprio, seu próprio tom ou seu timbre. É um livro de conceitos. A filosofia sempre se ocupou de conceitos, fazer filosofia é tentar inventar ou criar conceitos. Ocorre que os conceitos têm vários aspectos possíveis. Por muito tempo eles foram usados para determinar o que uma coisa é (essência). Nós, ao contrário, nos interessamos pelas circunstâncias de uma coisa: em que casos, onde e quando, como etc.? Para nós, o conceito *[40]* deve dizer o acontecimento, e não mais a essência. Daí a possibilidade de introduzir procedimentos romanescos muito simples em filosofia. Por exemplo, um conceito como o de ritornelo deve nos dizer em que casos sentimos necessidade de cantarolar. Ou então o rosto: acreditamos que o rosto é um produto, e que nem todas as sociedades produzem rosto, embora algumas necessitem produzi-lo. Em que casos e por quê? Cada anel ou platô deve pois traçar um mapa de circunstâncias, por isso cada um tem uma data, uma data fictícia, e também uma ilustração, uma imagem. É um livro ilustrado. Com efeito, o que nos interessa são os modos de individuação que já não são os de uma coisa, de uma pessoa ou de um sujeito: por exemplo, a individuação de uma hora do dia, de uma região, de um clima, de um rio ou de um vento, de um acontecimento. E talvez seja um equívoco acreditar na existência das coisas, pessoas ou sujeitos. O título *Mil platôs* remete a essas individuações que não são pessoais nem de coisas.

C. D. — *Hoje em dia o livro em geral, e o de filosofia em particular, encontra-se numa situação estranha. Por um lado, os tambores da glória celebram os não-livros construídos com o ar do tempo; por outro, assiste-se a uma espécie de recusa a analisar o trabalho, em nome de uma frouxa noção de expressão. Jean-Luc Godard afirma que o que importa é menos a expressão que a impressão. Um livro de filosofia é um livro difícil mas também, ao mesmo tempo, um objeto totalmente acessível, uma caixa de ferramentas formidavelmente aberta, contanto que se queira ou se precise fazer uso dela no momento.* Mil platôs *oferece efeitos de conhecimento; mas como apresentá-lo sem fazer dele um efeito de opinião, de estrelismo, no meio do burburinho que a cada semana "descobre" a obra-prima do século? Se déssemos ouvido ao barulho emitido pelos poderosos de plantão, não teríamos mais necessidade alguma de conceitos. Uma vaga [41] subcultura constituída por jornais e revistas poderia substituí-los. Institucionalmente, a filosofia está ameaçada, a Universidade de Vincennes, esse formidável laboratório, foi despejada. Ora, este livro cheio de ritornelos de ciência, de literatura, de mú-*

sica, de etologia, pretende-se uma obra conceitual. Ele é uma aposta poderosa — e em ato — no retorno da filosofia como gaia ciência...

— É uma questão complicada. Primeiro, a filosofia nunca esteve reservada aos professores de filosofia. É filósofo quem se torna filósofo, isto é, quem se interessa por essas criações muito especiais na ordem dos conceitos. Guattari é um filósofo extraordinário, antes de mais nada e principalmente quando fala de política, ou música. Portanto, precisaríamos entender qual é o lugar, o papel eventual desse gênero de livro atualmente. Num contexto mais geral, seria preciso saber o que se passa hoje no domínio dos livros. Vivemos há alguns anos um período de reação em todos os domínios. Não há razão para que ela poupe os livros. Estão nos fabricando um espaço literário, bem como um espaço judiciário, econômico, político, completamente reacionários, pré-fabricados e massacrantes. Creio que está em andamento uma operação sistemática, que o jornal *Libération* deveria analisar. A mídia desempenha nisso um papel essencial, mas não exclusivo. É muito interessante. Como resistir a esse espaço literário europeu que está se constituindo? Qual seria o papel da filosofia nessa resistência a um terrível novo conformismo? Sartre tinha um papel excepcional e sua morte é um acontecimento muito triste em todos os sentidos. Depois de Sartre, a geração à qual pertenço me parece ter sido rica (Foucault, Althusser, Derrida, Lyotard, Serres, Faye, Châtelet etc.). Agora, o que me parece difícil é a situação dos filósofos jovens, mas também de todos os jovens escritores, que estão criando alguma coisa. Eles *[42]* correm o risco de serem sufocados de antemão. Ficou muito difícil trabalhar, porque se montou todo um sistema de "aculturação" e de anticriação próprio aos países desenvolvidos. É bem pior que uma censura. A censura provoca efervescências subterrâneas, mas a reação quer tornar tudo impossível. Esse período de seca não vai durar necessariamente muito. Provisoriamente, quase que só podemos opor-lhe redes. Então, a questão que nos interessa a propósito de *Mil platôs* é se há ressonâncias, causas comuns com aquilo que buscam ou fazem outros escritores, músicos, pintores, filósofos, sociólogos, de tal modo que se possa ter mais força ou confiança. Em todo caso, seria preciso realizar uma análise sociológica do que se passa no domínio do jornalismo, e do que isso significa politicamente. Talvez alguém como Bourdieu pudesse fazer essa análise...

ROBERT MAGGIORI — *Pode surpreender a importância dada em* Mil platôs *à linguística; é de se perguntar se ela não ocupa aí o lugar central que em* O anti-Édipo *estava reservado à psicanálise. Ao longo dos capítulos dedicados a ela ("Postulados da linguística", "Sobre alguns regimes de signos") são elaborados conceitos como o de* agenciamento coletivo de enunciação, *que de certo modo atravessam todos os outros "platôs". Por outro lado, o trabalho que vocês realizam sobre as teorias de Chomsky, Labov, Hjelmslev ou Benveniste poderia facilmente ser tomado como um aporte, certamente crítico, à linguística. E no entanto, fica claro que a preocupação de vocês não é detectar na linguagem zonas de cientificidade que poderiam circunscrever a semântica, a sintática, a fonemática e outras "áticas", mas antes denunciar as* pretensões *da linguística de "fechar a língua sobre si", ao referir os enunciados aos significantes e as enunciações aos [43] sujeitos. Como entender então a importância atribuída à linguística? Trata-se de prosseguir na luta empreendida desde* O anti-Édipo *contra a ditadura do significante de coloração lacaniana, e até contra o estruturalismo? Ou simplesmente vocês são estranhos linguistas, que só se interessam pelo que está "fora" da linguística?*

— A meu ver a linguística não tem nada de essencial. Se Félix estivesse aqui talvez diria outra coisa. Mas Félix enxergou justamente um movimento que tendia a transformar a linguística: a princípio ela tinha sido fonológica, depois sintática e semântica, mas cada vez mais tornava-se uma pragmática. Por muito tempo a pragmática (as circunstâncias, os acontecimentos, os atos) foi considerada a "cloaca" da linguística, mas agora sua importância cresce a cada dia: uma tal colocação em ato da língua faz com que as unidades ou constantes abstratas da linguagem tenham cada vez menos importância. Esse movimento atual de pesquisa é bom porque permite precisamente os encontros, as causas comuns, entre romancistas, linguistas, filósofos, "vocalistas..." etc. (chamo "vocalistas" todos aqueles que pesquisam o som e a voz em domínios tão diferentes como o teatro, a canção, o cinema, o audiovisual...). Há nisso um trabalho extraordinário. Gostaria de citar alguns exemplos recentes. Primeiro, o percurso de Roland Barthes: ele passou pela fonologia, depois pela semântica e a sintática, mas foi inventando cada vez mais uma pragmática própria, uma pragmática de uma linguagem intimista, onde a linguagem está penetrada por dentro pelas circunstâncias, os acontecimentos e os atos. Outro exemplo: Nathalie Sarraute escreve um belo livro, que é como a encenação de algumas "proposições"; é um caso em que a filosofia e o romance se confundem absolutamente. Ao mesmo tempo um linguista como Ducrot produz sob uma outra *[44]* forma um livro de linguística sobre a encenação, a estratégia e a pragmática das proposições. É o caso de um belo encontro. Um outro exemplo ainda: as pesquisas pragmáticas do linguista americano Labov, sua oposição a Chomsky, sua relação com as línguas de gueto e de bairros. Quanto a nós, não creio que sejamos muito competentes em linguística. Mas a competência é ela mesma uma noção linguística bastante obscura. Nós apenas destacamos um certo número de temas que nos pareceram necessários: 1) o estatuto das palavras de ordem na linguagem; 2) a importância do discurso indireto (e a denúncia da metáfora como procedimento deplorável, sem importância real); 3) a crítica das constantes e mesmo das variáveis linguísticas, em favor das zonas de variação contínua. Mas a música, e a relação da voz com a música, ocupam em *Mil platôs* um lugar mais relevante que a linguística.

C. D. — *Vocês recusam energicamente as metáforas, e também as analogias. Seus "buracos negros", essa noção tomada à física contemporânea, descrevem espaços que captam sem que se possa sair deles, avizinhando-se da noção de parede branca. Para vocês, um rosto é uma parede branca perfurada por buracos negros, e é a partir daí que se organiza a rostidade. Porém mais adiante, vocês não param de falar em conjuntos vagos, em sistemas abertos. Essa vizinhança com as ciências mais contemporâneas nos leva à pergunta sobre que uso podem os cientistas fazer de um livro desse gênero. Não existe o risco de eles verem nisso metáforas?*

— Com efeito, *Mil platôs* usa um certo número de conceitos que têm uma ressonância ou mesmo uma correspondência científica: buracos negros, conjuntos vagos, zona de vizinhança, espaços riemannianos... eu gostaria de dizer que existem dois tipos de noções científicas, mesmo se *[45]* concretamente elas se misturam. Há noções exatas por natureza, quantitativas, equacionais, e que não têm sentido senão por sua exatidão: estas, um filósofo ou um escritor só pode utilizá-las por metáfora, o que é muito ruim, porque elas pertencem à ciência exata. Mas há também noções fundamentalmente inexatas e, no entanto, absolutamente rigorosas, das quais os cientistas não podem prescindir, e que pertencem ao mesmo tempo aos cientistas, aos filósofos, aos artistas. Trata-se de dar-lhes um rigor que não é diretamente científico, e quando um cientista chega a esse rigor, ele é também filósofo, ou artista. Não é por insuficiência que tais conceitos são indecisos, é por sua natureza ou conteúdo. Seja um exemplo atual, de um livro que teve muita repercussão: *A nova aliança*, de Prigogine e Stengers. Entre todos os conceitos que esse livro cria, está o de zona de bifurcação. Prigogine o cria do fundo da termodinâmica, que é sua especialidade, mas é um conceito inseparavelmente filosófico, científico, artístico. Inversamente, não é impossível que um filósofo crie conceitos utilizáveis cientificamente. Aconteceu muitas vezes. Para ficar com um exemplo bastante recente mas esquecido, Bergson influenciou profundamente a psiquiatria, e, mais ainda, teve uma relação estreita com os espaços matemáticos e físicos de Riemann. A questão não é de modo algum constituir uma falsa unidade que ninguém deseja. Aqui também a questão é o quanto o trabalho de cada um pode produzir convergências inesperadas, e novas consequências, e revezamentos para cada um. Ninguém deveria ter privilégio a esse respeito, nem a filosofia, nem a ciência, nem a arte ou a literatura.

DIDIER ERIBON — *Embora utilizem trabalhos de historiadores, sobretudo os de Braudel (de quem se [46] conhece justamente o interesse pela paisagem), o mínimo que se pode dizer é que vocês não atribuem um lugar determinante à história. Preferem considerar-se geógrafos, privilegiam o espaço, e dizem que é preciso traçar uma "cartografia" dos devires. Não teríamos aí um dos meios pelos quais se passa de um platô a outro?*

— A história certamente é muito importante. Mas quando você toma qualquer linha de pesquisa, ela é histórica numa parte de seu percurso, em certos lugares, mas também é a-histórica, trans-histórica... Em *Mil platôs*, os "devires" têm muito mais importância que a história. Não é absolutamente a mesma coisa. Tentamos, por exemplo, construir um conceito de máquina de guerra; ele implica antes de mais nada um certo tipo de espaço, uma composição muito particular dos homens, dos elementos tecnológicos e afetivos (armas e joias...). Um tal agenciamento só é histórico secundariamente, quando entra em relações muito variáveis com os aparelhos de Estado. Quanto aos próprios aparelhos de Estado, nós os referimos a determinações como as do território, da terra e da desterritorialização: existe aparelho de Estado quando os territórios não são mais explorados sucessivamente, porém são objeto de uma comparação simultânea (terra), e, com isto, já são tomados num movimento de desterritorialização. Isso constitui uma longa sequência histórica. Mas em condições completamente diversas reencontramos o mesmo complexo de noções distribuídas de outra maneira: por exemplo, os territórios animais, sua relação eventual com um centro exterior que é como uma terra, os movimentos de desterritorialização cósmica tal como nas longas migrações... Ou no *lied* [canção]: o território mas também a terra ou o lugar de nascimento, e ainda a abertura, a partida, o cósmico. Assim, parece-me que a parte de *Mil [47] platôs* sobre o ritornelo complementa aquela sobre o aparelho de Estado, embora o tema não seja o mesmo. É nesse sentido que um "platô" comunica com um outro. Mais um exemplo: tentamos definir um regime de signos muito particular que chamamos de passional. É uma sucessão de processos. Ora, esse regime pode ser encontrado em certos processos históricos (do tipo travessia do deserto), mas também sob outras condições nos delírios estudados pela psiquiatria, nas obras literárias (Kafka, por exemplo). Não se trata em absoluto de reunir tudo num mesmo conceito, mas ao contrário, de referir cada conceito a variáveis que lhe determinem as mutações.

R. M. — *A forma "estilhaçada" de* Mil platôs, *sua organização acronológica mas datada, a multiplicidade e a plurivocidade de suas referências, o emprego de conceitualizações tomadas a gêneros e domínios teóricos os mais variados e aparentemente heteróclitos, têm ao menos uma vantagem: permitem concluir pela existência de um* antissistema. *Os mil platôs não formam uma montanha, mas deixam nascer mil caminhos que, contrariamente aos de Heidegger, levam a toda parte. Antissistema por excelência, colcha de retalhos, dissipação absoluta: eis* Mil platôs. *Ora, parece-me que é totalmente o contrário. Primeiro porque* Mil platôs, *como você mesmo o declarou à revista* L'Arc *(nº 49, nova edição 1980), pertence unicamente ao gênero filosófico, "à filosofia no sentido tradicional da palavra"; depois porque, apesar de seu modo de exposição, certamente não sistemático, traduz mesmo assim uma certa "visão do mundo", deixa ver ou entrever um "real", que aliás não é sem afinidade com aquele que as teorias científicas contemporâneas descrevem ou tentam mostrar. Afinal [48] de contas, será tão paradoxal considerar* Mil platôs *como um sistema filosófico?*

— Não, de modo algum. Hoje em dia tornou-se corriqueiro observar a falência dos sistemas, a impossibilidade de fazer sistema, em virtude da diversidade dos saberes ("não se está mais no século XIX..."). Essa ideia tem dois inconvenientes: já não se concebe um trabalho sério senão sobre pequenas séries muito localizadas e determinadas; e, pior ainda, confia-se o que é mais amplo a um não-trabalho de visionário onde cada um pode dizer qualquer coisa. Na verdade, os sistemas não perderam rigorosamente nada de suas forças vivas. Há hoje, nas ciências ou em lógica, todo o princípio de uma teoria dos sistemas ditos abertos, fundados sobre as interações, e que repudiam somente as causalidades lineares e transformam a noção de tempo. Admiro Maurice Blanchot: sua obra não são pequenos pedaços ou aforismos, é um sistema aberto, que construía, antecipadamente, um "espaço literário" capaz de se opor ao que nos acontece hoje. O que Guattari e eu chamamos de rizoma é precisamente um caso de sistema aberto. Volto à questão: que é a filosofia? Porque a resposta a essa pergunta deveria ser muito simples. Todo mundo sabe que a filosofia se ocupa de conceitos. Um sistema é um conjunto de conceitos. Um sistema é aberto quando os conceitos são relacionados a circunstâncias, e não mais a essências. Mas, por um lado, os conceitos não são dados prontos, eles não preexistem: é preciso inventar, criar os conceitos, e nisso há tanta criação e invenção quanto na arte ou na ciência. Criar novos conceitos que tenham uma necessidade, sempre foi essa a tarefa da filosofia. É que, por outro lado, os conceitos não são generalidades à moda da época. Ao contrário, são singularidades que reagem sobre os fluxos de pensamento ordinários: pode-se muito bem pensar sem *[49]* conceitos, mas desde que haja conceito há verdadeiramente filosofia. Nada a ver com uma ideologia. Um conceito é cheio de uma força crítica, política e de liberdade. É justamente a potência do sistema que pode, só ela, destacar o que é bom ou ruim, o que é novo ou não, o que está vivo ou não numa construção de conceitos. Nada é bom absolutamente, tudo depende do uso e da prudência, sistemáticos. Em *Mil platôs* tentamos dizer: o bom nunca está garantido (por exemplo, não basta um *espaço liso* para vencer as estrias e as coerções, nem um *corpo sem órgãos* para vencer as organizações). Às vezes censuram-nos por empregarmos palavras complicadas a fim de "parecer chique". Isso não só é maldoso, é idiota. Um conceito ora necessita de uma nova palavra para ser designado, ora se serve de uma palavra ordinária à qual dá um sentido singular.

Em todo caso, creio que o pensamento filosófico nunca teve um papel tão importante quanto hoje, porque está se instalando todo um regime não só político, mas cultural e jornalístico, que é uma ofensa a todo pensamento. Ainda uma vez, *Libération* deveria tratar desse problema.

D. E. — *Há alguns pontos aos quais eu gostaria de voltar. Falamos ainda há pouco da importância que vocês dão ao acontecimento; depois, do privilégio atribuído à geografia em relação à história. Qual é então o estatuto do acontecimento na "cartografia" que pretendem elaborar?*

E, já que tratamos do espaço, é preciso voltar igualmente ao problema do Estado, que vocês vinculam ao território.

Se o aparelho de Estado instaura o "espaço estriado" da coerção, a "máquina de guerra" tenta constituir o "espaço liso" sobre linhas de fuga. [50]

Mas vocês advertem: o espaço liso não basta para salvar-nos. As linhas de fuga não são necessariamente liberadoras.

— O que chamamos de um "mapa", ou mesmo um "diagrama", é um conjunto de linhas diversas funcionando ao mesmo tempo (as linhas da mão formam um mapa). Com efeito, há tipos de linha muito diferentes, na arte, mas também numa sociedade, numa pessoa. Há linhas que representam alguma coisa, e outras que são abstratas. Há linhas de segmentos, e outras sem segmento. Há linhas dimensionais e linhas direcionais. Há linhas que, abstratas ou não, formam contorno, e outras que não formam contorno. Aquelas são as mais belas. Acreditamos que as linhas são os elementos constitutivos das coisas e dos acontecimentos. Por isso cada coisa tem sua geografia, sua cartografia, seu diagrama. O que há de interessante, mesmo numa pessoa, são as linhas que a compõem, ou que ela compõe, que ela toma emprestado ou que ela cria. Por que privilegiar a linha em relação ao plano ou ao volume? De fato não há nenhum privilégio. Há espaços correlativos às diversas linhas, e vice-versa (aqui também interviriam noções científicas, como os "objetos fractais" de Mandelbrot). Este ou aquele tipo de linha envolve determinada formação espacial e volumosa.

Daí sua segunda observação: nós definimos a "máquina de guerra" como um agenciamento linear que se constrói sobre linhas de fuga. Nesse sentido, a máquina de guerra não tem absolutamente por objeto a guerra; ela tem por objeto um espaço muito especial, *espaço liso*, que ela compõe, ocupa e propaga. O *nomadismo* é precisamente esta combinação máquina de guerra-espaço liso. Tentamos mostrar como e em que caso a máquina de guerra toma a guerra por objeto (quando os *[51]* aparelhos de Estado se apropriam da máquina de guerra que a princípio não lhes pertencia). Uma máquina de guerra pode ser revolucionária, ou artística, muito mais que guerreira.

Mas sua terceira observação mostra bem que há uma razão a mais para não se julgar antecipadamente. Pode-se definir os tipos de linha; daí não se pode concluir que esta é boa e aquela ruim. Não se pode dizer que as linhas de fuga sejam forçosamente criadoras; que os espaços lisos sejam melhores que os segmentados ou os estriados: como mostra Virilio, o submarino nuclear reconstitui um espaço liso a serviço da guerra e do terror. Numa cartografia, pode-se apenas marcar caminhos e movimentos, com coeficientes de sorte e de perigo. É o que chamamos de "esquizoanálise", essa análise das linhas, dos espaços, dos devires. Parece que é ao mesmo tempo muito próximo e muito diferente dos problemas da história.

D. E. — *Linhas, devires, acontecimentos... Eis-nos talvez de volta à questão do início, que dizia respeito às datas. O título de cada platô comporta uma data: "7.000 a.C. — Aparelho de captura", "Ano zero — Rostidade"... Datas fictícias, disse você, mas que remetem ao acontecimento, às circunstâncias, e talvez estabeleçam a cartografia da qual falávamos.*

— Que cada platô esteja datado, com uma data fictícia, não tem importância maior do que o fato de que esteja ilustrado, ou que comporte nomes próprios.

O estilo telegráfico tem uma potência que não vem só de sua brevidade. Seja uma proposição do tipo: "Júlio chegar cinco horas da tarde". Não faz muito sentido escrever assim.

Mas é interessante se a escrita por si mesma chega a dar esse sentimento de iminência, de algo que vai suceder ou acaba de se passar nas *[52]* nossas costas. Os nomes próprios designam forças, acontecimentos, movimentos e motivações, ventos, tufões, doenças, lugares e momentos, muito antes de designar pessoas. Os verbos no infinitivo designam devires ou acontecimentos que ultrapassam os modos e os tempos. As datas não remetem a um calendário único homogêneo, mas a espaços-tempos que mudam a cada vez... Tudo isso constitui um agenciamento de enunciação: "Lobisomens pulular 1730"... etc.

(*Libération*, 23 de outubro de 1980, entrevista a Christian Descamps, Didier Eribon e Robert Maggiori)

II
CINEMA

TRÊS QUESTÕES SOBRE *SEIS VEZES DOIS* (Godard) *[55]*

— Nós, da revista Cahiers du Cinéma, *pedimos uma entrevista a você porque é filósofo (e queremos um texto nesse sentido), mas sobretudo porque gosta do trabalho de Godard e o admira. O que acha dos recentes programas dele na televisão?*

— Como muita gente, fiquei emocionado, e é uma emoção que dura. Posso dizer como eu imagino Godard. É um homem que trabalha muito; então, forçosamente está numa solidão absoluta. Mas não é qualquer solidão, é uma solidão extraordinariamente povoada. Não povoada de sonhos, de fantasmas ou de projetos, mas de atos, de coisas e até de pessoas. Uma solidão múltipla, criativa. É do fundo dessa solidão que Godard pode por si só ser uma força, mas também fazer com vários um trabalho de equipe. Ele consegue tratar de igual para igual qualquer um, sejam os poderes oficiais ou organizações, ou então uma faxineira, um operário, os loucos. Nos programas de TV, as perguntas que Godard faz sempre acertam em cheio. Elas nos perturbam, a nós que assistimos, mas não a quem são dirigidas. Ele conversa com delirantes de uma maneira que não é a de um psiquiatra, *[56]* nem de um outro louco ou de alguém se fazendo de louco. Ele fala com os operários, e não é um patrão falando, nem um outro operário, nem um intelectual, nem um diretor com seus atores. E isso de modo algum por assumir todos os tons como faria alguém habilidoso, mas porque sua solidão lhe dá uma capacidade ampla, um grande povoamento. De certo modo, trata-se sempre de ser gago. Não ser gago em sua fala, mas ser gago da própria linguagem. Geralmente, só dá para ser estrangeiro numa outra língua. Aqui, ao contrário, trata-se de ser um estrangeiro em sua própria língua. Proust dizia que os belos livros forçosamente são escritos numa espécie de língua estrangeira. Acontece o mesmo nos programas de Godard; ele até aperfeiçoou seu sotaque suíço com essa finalidade. É essa gagueira criativa, essa solidão que faz de Godard uma força.

Porque, vocês o sabem melhor do que eu, ele sempre esteve só. Nunca houve o sucesso-Godard no cinema, como gostariam de fazer crer os que dizem: "Ele mudou, daí em diante já não é mais o mesmo". Em geral estes são os que o detestavam desde o começo. Godard se antecipou a todo mundo e deixou em todos sua marca, mas não pela via do sucesso, antes continuando sua própria linha, uma linha de fuga ativa, linha o tempo todo quebrada, em zigue-zague, subterrânea. O fato é que, em relação ao cinema, conseguiu-se mais ou menos confiná-lo em sua solidão. Fixaram-lhe um lugar. E eis que ele aproveita as férias, um vago apelo à criatividade, para ocupar a TV por seis vezes com dois programas. Talvez seja o único caso de alguém que não se deixou enganar pela TV. Em geral já perdemos antes de começar. Tê-lo-iam perdoado se tivesse mostrado seu cinema, mas não por fazer essa série, que muda tantas coisas no que toca mais de perto a TV (entrevistar pessoas, fazê-las falar, mostrar imagens vindas de outro lugar etc.). Mesmo *[57]* que já não se fale nisso, mesmo se o caso foi abafado. É natural que muitos grupos e associações tenham se indignado: o comunicado da Associação dos jornalistas, repórteres fotográficos e cineastas é exemplar. Pelo menos Godard reavivou o ódio. Mas também mostrou que um outro "povoamento" da TV era possível.

— *Você não respondeu nossa pergunta. Se tivesse que dar uma "aula" sobre esses programas... Que ideias você per-*

cebeu, ou sentiu? Como faria para explicar seu entusiasmo? Ainda teremos ocasião de falar do resto em seguida, mesmo que esse resto seja mais importante.

— Está bem, mas as ideias, ter uma ideia não é ideologia, é a prática. Godard tem uma bela fórmula: não uma imagem justa, justo uma imagem. Os filósofos também deveriam dizê-lo, e conseguir fazer: não ideias justas, justo ideias. Porque ideias justas são sempre ideias conformes a significações dominantes ou a palavras de ordem estabelecidas, são sempre ideias que verificam algo, mesmo se esse algo está por vir, mesmo se é o porvir da revolução. Enquanto que "justo ideias" é próprio do devir-presente, é a gagueira nas ideias; isso só pode se exprimir na forma de questões, que de preferência fazem calar as respostas. Ou mostrar algo simples, que quebra todas as demonstrações.

Nesse sentido, há duas ideias nos programas de Godard que não param de se imbricar uma na outra, de se misturar ou de se separar segmento por segmento. É uma das razões pelas quais cada programa é dividido em dois: como na escola primária, os dois polos, a lição das coisas e a lição de linguagem. A primeira ideia diz respeito ao trabalho. Creio que Godard não para de questionar um esquema vagamente marxista, que penetrou por toda parte: haveria algo *[58]* bem abstrato, como uma "força de trabalho", que se venderia ou se compraria em condições que definiriam uma injustiça social fundamental ou, ao contrário, estabeleceriam um pouco mais de justiça social. Ora, Godard coloca questões muito concretas, ele mostra imagens que giram em torno disso: O que ao certo se compra e se vende? O que é que alguns estão dispostos a comprar, e outros a vender, que não é forçosamente a mesma coisa? Um jovem soldador está disposto a vender seu trabalho de soldador, mas não sua força sexual, tornando-se o amante de uma velha senhora. Uma faxineira está disposta a vender horas de limpeza, mas não quer vender o momento em que canta um trecho da "Internacional", por quê? Porque não sabe cantar? Mas se a pagam para falar justamente daquilo que ela não sabe cantar? E inversamente, um trabalhador de relojoaria especializado quer ser pago por sua força relojoeira, mas se recusa a ser pago por seu trabalho de cineasta amador, seu "hobby", diz ele. Ora, as imagens mostram que nos dois casos, na linha de produção da relojoaria e na linha de montagem do filme, os gestos são singularmente semelhantes, a ponto de nos confundir. Não, diz no entanto o relojoeiro, existe uma grande diferença de amor e de generosidade nesses gestos, eu não quero ser pago pelo meu cinema. Mas então e o cineasta, o fotógrafo, eles que, sim, são pagos? E mais, o que um fotógrafo, por sua vez, está disposto a pagar? Em certos casos, se dispõe a pagar seu modelo. Em outros, é pago por seu modelo. Mas quando fotografa torturas ou uma execução, ele não paga nem a vítima nem o carrasco. E quando fotografa crianças doentes, feridas ou famintas, por que não as paga? De maneira análoga, Guattari propunha num congresso de psicanálise que os analisandos fossem pagos pelo menos tanto quanto os psicanalistas, visto que não se pode propriamente dizer que o psicanalista forneça um "serviço", *[59]* há antes divisão de trabalho, evolução de dois tipos de trabalho não paralelos: o trabalho de escuta e de peneiragem do psicanalista, mas também o trabalho do inconsciente do analisando. A proposta de Guattari parece que não foi adotada. Godard diz a mesma coisa: por que não pagar as pessoas que assistem a televisão, em vez de fazê-las pagar, já que elas fornecem um verdadeiro trabalho e exercem, por sua vez, um serviço público? A divisão social do trabalho implica que numa fábrica seja pago o trabalho de produção, mas também o da administração e o dos laboratórios de pesquisa. Caso contrário, por que não imaginar os operários sendo obrigados a pagar eles mesmos os desenhistas que planejam seus produtos? Creio que todas essas questões e muitas outras, todas essas imagens e muitas outras, tendem a pulverizar a noção de força de trabalho. Primeiro, a noção mesma de força de trabalho isola arbitrariamente um setor, corta o trabalho de sua relação com o amor, a criação e até com a produção. Ela faz do trabalho uma conservação, o contrário de uma criação, visto que se trata para ele de reproduzir bens que são consumidos, e reproduzir sua própria força, numa troca fechada. Desse ponto de vista, pouco importa que a troca seja justa ou injusta, visto que sempre há a violência seletiva de um ato de pagamento, e mistificação no próprio princípio que nos faz falar de uma força de trabalho. Se o trabalho fosse separado de sua pseudoforça, os fluxos de produção de toda espécie, muito diferentes, não paralelos, poderiam ser colocados em relação direta com os fluxos de dinheiro, independentemente de qualquer mediação por uma força abstrata. Sou ainda mais confuso que Godard. Tanto melhor, já que o que conta são as questões que Godard coloca, as imagens que ele mostra, e o sentimento possível do espectador de que a noção de força de trabalho não é inocente, nem nada óbvia, mesmo e sobretudo do ponto de *[60]* vista de uma crítica social. As reações do Partido Comunista, ou de certos sindicatos à série de emissões de Godard, se explicam tanto por essas razões quanto por outras ainda mais visíveis (ele tocou nessa noção sacrossanta de força de trabalho...).

E depois vem a segunda ideia, que diz respeito à informação. Pois, também nesse caso a linguagem nos é apresentada como essencialmente informativa, e a informação, essencialmente como uma troca. Aqui também se mede a informação através de unidades abstratas. Ora, é improvável que a professora, quando explica uma operação ou ensina a ortografia na escola, esteja transmitindo informações. Ela manda, dá palavras de ordem. E fornece-se sintaxe às crianças assim como se dá ferramentas aos operários, a fim de que produzam enunciados conformes às significações dominantes. É bem literalmente que é preciso compreender a fórmula de Godard: as crianças são prisioneiros políticos. A linguagem é um sistema de comando, não um meio de informação. Na TV: "Agora vamos nos divertir..., e logo mais as notícias...". Na verdade, seria preciso inverter o esquema da informática. A informática supõe uma informação teórica máxima; no outro polo, coloca o puro ruído, a interferência; e, entre os dois, a redundância, que diminui a informação mas lhe permite vencer o ruído. É o contrário: no alto, seria preciso colocar a redundância como transmissão e repetição das ordens ou comandos; embaixo, a informação como sendo sempre o mínimo exigido para a boa recepção das ordens; e mais embaixo ainda? Pois bem, haveria algo como o silêncio, ou como a gagueira, ou como o grito, algo que escorreria sob as redundâncias e as informações, que escorraçaria a linguagem, e que apesar disso seria ouvido. Falar, mesmo quando se fala de si, é sempre tomar o lugar de alguém, no lugar de quem se pretende falar e a quem se recusa o direito *[61]* de falar. O sindicalista Séguy é boca aberta quando se trata de transmitir ordens e palavras de ordem. Mas a mulher com a criança morta também é boca aberta. Uma imagem se faz representar por um som, como um operário por seu sindicalista. Um som toma o poder sobre uma série de imagens. Então, como chegar a falar sem dar ordens, sem pretender representar algo ou alguém, como conseguir fazer falar aqueles que não têm esse direito, e devolver aos sons seu valor de luta contra o poder? Sem dúvida é isso, estar na própria língua como um estrangeiro, traçar para a linguagem uma espécie de linha de fuga.

São "justo" duas ideias, mas duas ideias é muito, é enorme, elas contêm muitas coisas e outras ideias. Pois Godard questiona noções correntes, a de força de trabalho e a de informação. Ele não diz que seria preciso dar *verdadeiras* informações, nem que seria preciso pagar *bem* a força de trabalho (aí seriam ideias justas). Ele diz que essas noções são muito equívocas. Ele escreve FALSO do lado. Ele disse há muito tempo que preferiria ser um produtor a ser autor, e editor de telejornal ao invés de cineasta. Evidentemente, ele não quis dizer que desejaria produzir seus próprios filmes, como Verneuil; nem tomar o poder na TV. De preferência, fazer um mosaico dos trabalhos, em vez de referi-los a uma força abstrata; fazer uma justaposição de subinformações, de todas as bocas abertas, em lugar de as referir a uma informação abstrata tomada como palavra de ordem.

— *Se são essas as duas ideias de Godard, será que elas coincidem com o tema constantemente desenvolvido nos programas, o das "imagens e sons"? A lição das coisas, as imagens, remeteriam aos trabalhos, e a lição das palavras, os sons, remeteriam às informações?*

— Não, a coincidência é só parcial: *[62]* forçosamente há também informação nas imagens, e trabalho nos sons. Conjuntos quaisquer podem e devem ser recortados de diversas maneiras, que só coincidem parcialmente. Para tentar reconstituir a relação imagem-som segundo Godard, seria preciso contar uma história muito abstrata, com vários episódios, e perceber no fim que essa história abstrata estava contida do jeito mais simples e mais concreto num único episódio.

1. Existem imagens, as coisas mesmas são imagens, porque as imagens não estão na cabeça, no cérebro. Ao contrário, é o cérebro que é uma imagem entre outras. As imagens não cessam de agir e de reagir entre si, de produzir e de consumir. Não há diferença alguma entre as *imagens*, as *coisas* e o *movimento*.

2. Mas as imagens têm também um *dentro*, ou, certas imagens têm um dentro, e são sentidas por dentro. São sujeitos (veja-se as declarações de Godard sobre *Duas ou três coisas que eu sei dela* na coletânea publicada pela Belfond, pp. 393 ss.). Há com efeito uma *defasagem* entre a ação sofrida por essas imagens e a reação executada. É essa defasagem que lhes dá o poder de estocar outras imagens, isto é, de perce-

ber. Mas o que elas estocam é somente o que lhes interessa nas outras imagens: perceber é subtrair da imagem o que não nos interessa, sempre há *menos* na nossa percepção. Estamos tão repletos de imagens que já não vemos as imagens que nos chegam do exterior por si mesmas.

3. Por outro lado, existem imagens sonoras que parecem não ter privilégio algum. Estas imagens sonoras, ou algumas delas, têm no entanto um *avesso*, que se pode chamar como quiser, ideias, sentido, linguagem, traços de expressão etc. Por essa via as imagens sonoras adquirem o poder de contrair ou de capturar as outras imagens ou uma série de outras imagens. Uma voz toma o poder sobre *[63]* um conjunto de imagens (voz de Hitler). As ideias, agindo como palavras de ordem, se encarnam nas imagens sonoras ou nas ondas sonoras e dizem o que nos deve interessar nas outras imagens: elas ditam nossa percepção. Sempre existe um "golpe" central que normaliza as imagens, subtraindo o que não devemos perceber. Assim se delineiam, graças à defasagem precedente, como que duas correntes em sentido contrário: uma que vai das imagens exteriores às percepções, a outra que vai das ideias dominantes às percepções.

4. Portanto, somos tomados numa cadeia de imagens, cada um no seu lugar, cada um sendo ele mesmo imagem; mas também somos tomados numa trama de ideias, que agem como palavras de ordem. Por conseguinte, a ação de Godard, "imagens e sons", vai a um só tempo em duas direções. Por um lado, restituir às imagens exteriores seu pleno, fazer com que não percebamos menos, fazer com que a percepção seja igual à imagem, devolver às imagens tudo o que elas têm; o que já é uma maneira de lutar contra tal ou qual poder e seus golpes. Por outro lado, desfazer a linguagem como tomada de poder, fazê-la gaguejar nas ondas sonoras, decompor todo conjunto de ideias que se pretendam ideias "justas" a fim de extrair daí "justo" ideias. Talvez haja duas razões, entre outras, pelas quais Godard faz um uso tão novo do *plano fixo*.

É um pouco como certos músicos atuais: eles instauram um plano fixo sonoro graças ao qual *tudo* será ouvido na música. E quando Godard introduz na tela um quadro negro sobre o qual escreve, não faz dele um objeto de filmagem, ele faz do quadro negro e da escrita um novo meio televisivo, como que uma substância de expressão que tem sua própria corrente, em relação a outras correntes presentes na tela.

Toda essa história abstrata em quatro episódios tem um aspecto de ficção científica. É nossa realidade social *[64]* hoje. O curioso é que essa história coincide em alguns pontos com o que Bergson dizia no primeiro capítulo de *Matéria e memória*. Bergson passa por um filósofo sensato, e que perdeu a novidade. Seria bom que ela lhe fosse restituída pelo cinema ou pela televisão (deveria estar no programa do *Institut des Hautes Études Cinématographiques* — *IDHEC*, talvez esteja). O primeiro capítulo de *Matéria e memória* desenvolve uma espantosa concepção da fotografia e do movimento no cinema, em suas relações com as coisas: "a fotografia, se fotografia existe, já foi obtida, já foi tirada, no próprio interior das coisas e de todos os pontos do espaço... etc.". Não quer dizer que Godard seja bergsoniano. Seria antes o inverso, nem mesmo Godard renovando Bergson, mas encontrando pedaços dele em seu próprio caminho ao renovar a televisão.

— *Mas por que há sempre "dois" em Godard? É preciso haver dois para que haja três... Bem, mas qual é o sentido desse 2, desse 3?*

— Vocês estão fingindo, são os primeiros a saber que não é assim. Godard não é um dialético. O que conta para ele não é o 2 ou o 3, ou sei lá quanto, é o *E*, a conjunção *E*. O uso do *E* em Godard é essencial. É importante, porque todo nosso pensamento é mais modelado pelo verbo ser, pelo *É*. A filosofia está entulhada de discussões sobre o juízo de atribuição (o céu é azul) e o juízo de existência (Deus é), suas reduções possíveis ou sua irredutibilidade. Mas trata-se sempre do verbo ser. Mesmo as conjunções são medidas pelo verbo ser, vê-se bem no silogismo. Só mesmo os ingleses e americanos para liberar as conjunções, para refletir sobre as relações. Ocorre que quando se faz do juízo de relação um tipo autônomo, percebe-se que ele se mete por toda parte, que *[65]* penetra e corrompe tudo: o *E* já não é nem mesmo uma conjunção ou uma relação particular, ele arrasta todas as relações; existem tantas relações quantos *E*, o *E* não só desequilibra todas as relações, ele desequilibra o ser, o verbo... etc. O *E*, "e... e... e...", é exatamente a gagueira criadora, o uso estrangeiro da língua, em oposição a seu uso conforme e dominante fundado sobre o verbo ser.

Certamente, o *E* é a diversidade, a multiplicidade, a destruição das identidades. A porta da fábrica não é a mesma quando eu entro, e depois quando saio dela, ou quando passo em frente, desempregado. A mulher do condenado não é a mesma, antes e depois. Acontece que a diversidade ou a multiplicidade não são absolutamente coleções estéticas (como quando se diz "um a mais", "uma mulher a mais"..), nem esquemas dialéticos (como quando se diz "um dá dois que vai dar três"). Pois em todos esses casos subsiste um primado do Uno, portanto do ser, que deve supostamente tornar-se múltiplo. Quando Godard diz que tudo se divide em dois, e que de dia existe a manhã *e* a tarde, ele não diz que é um ou o outro, nem que um se torna o outro, virando dois. Pois a multiplicidade nunca está nos termos, seja qual for o seu número, nem no seu conjunto ou na totalidade. A multiplicidade está precisamente no *E*, que não tem a mesma natureza dos elementos nem dos conjuntos.

Nem elemento nem conjunto, o que é o *E*? Creio que é a força de Godard, a de viver, de pensar e de mostrar o *E* de uma maneira muito nova, e de fazê-lo operar ativamente. O *E* não é nem um nem o outro, é sempre entre os dois, é a fronteira, sempre há uma fronteira, uma linha de fuga ou de fluxo, mas que não se vê, porque ela é o menos perceptível. E no entanto é sobre essa linha de fuga que as coisas se passam, os devires se fazem, as revoluções se esboçam. "As pessoas fortes não são as que *[66]* ocupam um campo ou outro, é a fronteira que é potente". Giscard d'Estaing fazia uma constatação melancólica na aula de geografia militar que deu recentemente no Exército: mais as coisas se equilibram ao nível dos grandes conjuntos, entre o Ocidente e o Leste, EUA-URSS, *entente* planetária, encontros orbitais, polícia mundial etc., mais elas se "desestabilizam" de Norte a Sul; Giscard cita Angola, o Oriente Médio, a resistência palestina, mas também todas as agitações que provocam "uma desestabilização regional da segurança", os sequestros de avião, a Córsega... De Norte a Sul, sempre serão encontradas linhas que vão desviar os conjuntos, um *E*, *E*, *E* que marca a cada vez um novo limiar, uma nova direção da linha quebrada, um novo desfilar da fronteira. O objetivo de Godard: "ver as fronteiras", isto é, fazer ver o imperceptível. O condenado *e* sua mulher. A mãe *e* a criança. Mas também as imagens *e* os sons. E os gestos do relojoeiro quando está na linha de montagem da relojoaria *e* quando está na sua mesa de montagem: uma fronteira imperceptível os separa, que não é nem um nem o outro, mas também que os arrasta um e outro numa evolução não paralela, numa fuga ou num fluxo em que já não se sabe quem corre atrás de quem, nem para qual destino. Toda uma micropolítica das fronteiras contra a macropolítica dos grandes conjuntos. Sabe-se ao menos que é aí que as coisas se passam, na fronteira entre as imagens e os sons, aí onde as imagens tornam-se plenas demais e os sons fortes demais. É o que Godard fez em *6 vezes 2*: 6 vezes entre os dois, fazer passar e fazer ver esta linha ativa e criadora, arrastar com ela a televisão.

(*Cahiers du Cinéma*, nº 271, novembro de 1976)

SOBRE A *IMAGEM-MOVIMENTO*
[67]

— *Seu livro se apresenta não como uma história do cinema, mas como uma classificação das imagens e dos signos, uma taxinomia. Nesse sentido, ele prolonga algumas de suas obras anteriores: por exemplo, você fazia uma classificação de signos a propósito de Proust. Mas com* A imagem-movimento, *é a primeira vez que você decide abordar, não um problema filosófico ou alguma obra particular (a de Espinosa, de Kafka, de Bacon ou de Proust), porém um domínio em seu conjunto, no caso o cinema. E, ao mesmo tempo, apesar de se negar a fazer uma história dele, você o trata historicamente.*

— Com efeito, é uma história do cinema, de certa maneira, mas uma "história natural". Trata-se de classificar os tipos de imagem e os signos correspondentes, como se classifica os animais. Os grandes gêneros, *western*, filme policial, filme de história, comédia etc., não nos dizem nada sobre os tipos de imagem ou sobre os caracteres intrínsecos. Os planos, em compensação, primeiro plano, plano geral etc., já definem tipos. Mas há muitos outros fatores, luminosos, sonoros, temporais, que intervêm. Se considero o domínio do cinema em seu conjunto, é porque ele está construído na base da imagem-movimento. Por conseguinte, está apto a revelar ou a criar um máximo de imagens diversas, e, *[68]* sobretudo, a compô-las entre si através da montagem. Há imagens-percepção, imagens-ação, imagens-afecção, e muitas outras. E existem signos internos que caracterizam cada uma dessas imagens, ao mesmo tempo do ponto de vista de sua gênese e de sua composição. Não são signos linguísticos, mesmo quando são sonoros, ou até vocais. A importância de um lógico como Peirce é ter elaborado uma classificação dos signos riquíssima, relativamente independente do modelo linguístico. Era ainda mais tentador verificar se o cinema não trazia uma matéria movente que exigiria uma nova compreensão das imagens e dos signos. Nesse sentido, tentei fazer um livro de lógica, uma lógica do cinema.

— *Parece também que você quer reparar uma espécie de injustiça da filosofia em relação ao cinema. Você critica em particular a fenomenologia por tê-lo compreendido mal, por ter minimizado a importância do cinema ao compará-lo e contrapô-lo à percepção natural. E para você, Bergson tinha tudo para compreendê-lo, ele havia até se antecipado ao cinema, mas não soube ou não quis reconhecer a convergência de suas próprias concepções com o cinema. Como se tivesse havido, entre ele e esta arte, uma espécie de esconde-esconde. Em* Matéria e memória, *com efeito, sem conhecer o cinema, ele destaca o conceito fundamental de imagem-movimento, com suas três formas principais — imagem-percepção, imagem-ação, imagem-afecção — que anuncia justamente a novidade do filme. Porém mais tarde, em* A evolução criadora, *e desta vez realmente confrontado ao cinema, ele o recusa, mas de uma maneira inteiramente contrária aos fenomenólogos: vê nele a perpetuação de uma ilusão antiquíssima, que,* com os mesmos direitos da percepção natural, *crê que o movimento pode ser reconstituído a partir de cortes fixos no tempo. [69]*

— É muito curioso. Tenho a impressão de que as concepções filosóficas modernas da imaginação não levam em conta o cinema: ou elas creem no movimento, mas suprimem a imagem, ou elas mantêm a imagem, mas suprimem dela o movimento. É curioso que Sartre, em *L'imaginaire*, considere todos os tipos de imagem, exceto a imagem cinematográfica. Merleau-Ponty se interessava pelo cinema, mas para confrontá-lo às condições gerais da percepção e do comportamento. A situação de Bergson, em *Matéria e memória*, é única. Ou melhor, é *Matéria e memória* que é um livro único, extraordinário na obra de Bergson. Ele não coloca mais o movimento do lado da duração, mas por um lado estabelece uma identidade absoluta entre movimento-matéria-imagem, e, por outro, descobre um Tempo que é a coexistência de todos os níveis de duração (a matéria sendo apenas o nível mais inferior). Fellini dizia recentemente que somos ao mesmo tempo a infância, a velhice, a maturidade: é totalmente bergsoniano. Em *Matéria e memória* há portanto as núpcias de um puro espiritualismo com um materialismo radical. Se quiserem, Vertov e Dreyer ao mesmo tempo, as duas direções. Mas Bergson não continuará nessa via. Ele renuncia a esses dois avanços fundamentais, que dizem respeito à imagem-movimento e à imagem-tempo. Por quê? Creio que é porque Bergson elaborava aqui novos conceitos filosóficos relacionados com a Teoria da Relatividade: segundo ele, a Relatividade implicava uma concepção do tempo que ela por si só não detectava, mas que cabia à filosofia construir. Contudo, ocorreu o seguinte: acreditou-se que Bergson atacava a Relatividade, que ele criticava a própria teoria física. Bergson julgou o mal-entendido muito grave, impossível de dissipar. Voltou então a uma concepção mais simples. Em todo caso, em *Matéria e memória* (1896) ele delineou uma imagem-movimento *[70]* e uma imagem-tempo que, mais tarde, poderiam encontrar seu campo no cinema.

— *Não é o que se encontra justamente num cineasta como Dreyer, que inspira páginas belíssimas de seu livro? Revi recentemente* Gertrud, *que vai passar de novo após vinte anos. É um filme esplêndido, onde a modulação dos níveis de tempo atinge um refinamento que só os de Mizoguchi, por instantes, igualam (o aparecimento-desaparecimento da mulher do oleiro, morta e viva, no fim dos* Contos da lua vaga, *por exemplo). E Dreyer, em seus* Écrits, *diz constantemente que é preciso suprimir a terceira dimensão, a profundidade, e fazer imagens planas, para colocá-las diretamente em relação com uma quarta ou quinta dimensão, do Tempo e do Espírito. A propósito de* Ordet *por exemplo, é muito curioso ele precisar que não se trata de uma história de espectro ou de demência, mas de uma "relação profunda entre ciência exata e religião intuitiva". E ele invoca Einstein. Eu cito: "A nova ciência, na sequência da relatividade de Einstein, trouxe as provas da existência — fora do mundo em três dimensões, que é o dos nossos sentidos — de uma quarta dimensão, a do tempo, e de uma quinta, a do psiquismo. Demonstrou-se que era possível viver acontecimentos que ainda não ocorreram. Abriram-se novas perspectivas que nos fazem reconhecer uma relação profunda entre ciência exata e religião intuitiva". ... Mas voltemos à questão "história do cinema". Você recorre a sucessões, você diz que tal tipo de imagem aparece em tal momento, por exemplo depois da guerra. Portanto, você não faz apenas uma classificação abstrata, nem mesmo uma história natural. Você quer dar conta também de um movimento histórico.*

— Em primeiro lugar, os tipos de imagem evidentemente não preexistem, têm de ser criados. A imagem plana, ou, *[71]* ao contrário, a profundidade de campo precisam ser criadas e recriadas a cada vez; se quiser, os signos remetem sempre a uma assinatura. Uma análise das imagens e dos signos, portanto, deve comportar monografias relativas aos grandes autores. Tomemos um exemplo: parece-me que o expressionismo concebe a luz nas suas relações com as trevas, e essa relação é uma luta. Na escola francesa do pré-guerra é muito diferente: não há luta, mas alternância; não só a luz é ela mesma movimento, mas há duas luzes que se alternam, a solar e a lunar. É muito próximo do pintor Delaunay. É antiexpressionismo. Se hoje um autor como Rivette se vincula à escola francesa, é porque ele reencontrou e renovou completamente esse tema das duas luzes. Ele extraiu daí maravilhas. Ele não só está próximo de Delaunay, mas, em literatura, de Nerval. É o mais nervaliano, o único cineasta nervaliano. Em tudo isso, evidentemente, há fatores históricos e geográficos que atravessam o cinema, colocam-no em relação com outras artes, fazem-no sofrer influências e também exercê-las. Há toda uma história. Contudo, essa história das imagens não me parece evolutiva. Creio que todas as imagens combinam diferentemente os mesmos elementos, os mesmos signos. Mas qualquer combinação não é possível a qualquer momento: para que um elemento seja desenvolvido são necessárias certas condições, senão ele fica atrofiado, ou vira secundário. Portanto, há dois níveis de desenvolvimento, cada um tão perfeito quanto possível, mais do que descendências ou filiações. É nesse sentido que é preciso falar de história natural, de preferência à história histórica.

— *Sua classificação não deixa de ser uma avaliação. Ela implica juízos de valor sobre os autores que você retém, e, por conseguinte, sobre os que você [72] mal cita ou nem menciona. O livro certamente anuncia uma sequência, deixando-nos no umbral de uma imagem-tempo que estaria para além da própria imagem-movimento. Mas nesse primeiro volume, você descreve a crise da imagem-ação, no final e imediatamente depois da Segunda Guerra mundial (neorrealismo italiano, depois* nouvelle vague *francesa...). Será que certos traços com os quais você caracteriza o cinema dessa crise (a realidade tomada como lacunar e dispersiva, sentimento de que tudo tornou-se clichê, permutações constantes entre o principal e o secundário, articulações novas entre as sequências, ruptura da ligação simples entre uma situação dada e a ação de um personagem), será que tudo isso já não está presente nos dois filmes do pré-guerra,* A regra do jogo *e* Cidadão Kane, *considerados os fundadores do cinema moderno, e que você não menciona?*

— Primeiramente, eu não pretendo fazer descobertas, todos os autores que cito são conhecidíssimos, eu os admiro muito. Por exemplo, do ponto de vista das monografias, considero o mundo de Losey: tento defini-lo através de uma alta falésia plana, povoada de grandes pássaros, helicópteros e esculturas inquietantes, enquanto embaixo jaz uma pequena cidade vitoriana: e, de uma à outra, uma linha de declividade máxima. É a maneira de Losey recriar as coordenadas do naturalismo. Essas coordenadas se reencontram sob uma outra forma em Stroheim, em Buñuel. Considero o conjunto de uma obra, creio que não há nada de ruim numa grande obra: em Losey, *La truite* foi maltratada, mesmo pelos *Cahiers*, porque não foi reinserida o suficiente no conjunto da obra, é uma nova *Eva*. Então vocês dizem que há buracos, Welles, Renoir, autores de uma importância imensa. É que nesse tomo não posso considerar *[73]* o conjunto da obra deles. A de Renoir parece-me dominada por uma certa relação teatro-vida, ou, mais precisamente, imagem atual-imagem virtual. Welles parece-me o primeiro a construir uma imagem-Tempo direta, uma imagem-Tempo que não resulta mais simplesmente do movimento. É um avanço prodigioso, que será retomado por Resnais. Mas eu não podia falar de tais exemplos no primeiro tomo, ao passo que podia tratar do conjunto naturalista. Mesmo quanto ao neorrealismo e à *nouvelle vague*, limito-me a abordar os aspectos mais superficiais, bem no final.

— *Tem-se mesmo assim a impressão de que interessa-o acima de tudo o naturalismo e o espiritualismo (digamos Buñuel, Stroheim, Losey, de um lado, Bresson e Dreyer, de ou-*

tro), isto é, ou a queda e a degradação naturalistas, ou então o impulso, a ascensão do espírito, a quarta dimensão. São movimentos verticais. Você parece se interessar menos pelo movimento horizontal, pelo encadeamento das ações, por exemplo no cinema americano. E quando aborda o neorrealismo e a nouvelle vague, *ora fala de crise da imagem-ação, ora de crise da imagem-movimento em seu conjunto. Será que para você, naquele momento, é toda a imagem-movimento que entra em crise, preparando as condições do surgimento de um outro tipo de imagem, para além até do movimento, ou é só a imagem-ação que entra em crise, deixando então subsistir, e mesmo reforçando, os dois outros aspectos da imagem-movimento: as percepções, as afecções puras?*

— É impossível se contentar em dizer que o cinema moderno rompe com a narração. Isto é apenas uma consequência, o princípio é outro. O cinema de ação expõe situações sensório-motoras: há personagens que estão numa certa situação, e que agem, caso necessário com muita violência, conforme o que percebem. *[74]* As ações encadeiam-se com percepções, as percepções se prolongam em ações. Agora, suponham que um personagem se encontre numa situação, seja cotidiana ou extraordinária, que transborda qualquer ação possível ou o deixa sem reação. É forte demais, ou doloroso demais, belo demais. A ligação sensório-motora foi rompida. Ele não está mais numa situação sensório-motora, mas numa situação óptica e sonora pura. É um outro tipo de imagem. Seja a estrangeira em *Stromboli*: ela passa pela pesca do atum, a agonia do atum, depois a erupção do vulcão. Ela não tem reação alguma diante disso, nenhuma resposta, é intenso demais: "Estou acabada, tenho medo, que mistério, que beleza, meu Deus...". Ou a burguesa de *Europa 51* diante da fábrica: "Pensei estar vendo condenados...". Creio que é essa a grande invenção do neorrealismo: já não se acredita tanto na possibilidade de agir sobre as situações, ou de reagir às situações, e no entanto, não se está de modo algum passivo, capta-se ou revela-se algo intolerável, insuportável, mesmo na vida mais cotidiana. É um cinema de Vidente. Como diz Robbe-Grillet, a descrição substituiu o objeto. Ora, quando se está assim diante de situações ópticas e sonoras puras, não é apenas a ação e portanto a narração que desmoronam, são as percepções e as afecções que mudam de natureza, porque passam para um sistema inteiramente diferente do sistema sensório-motor próprio ao cinema "clássico". E mais, já não é o mesmo tipo de espaço: o espaço, tendo perdido suas conexões motoras, torna-se um espaço desconectado ou esvaziado. O cinema moderno constrói espaços extraordinários; os signos sensório-motores cederam lugar aos "opsignos" e "sonsignos". É claro que sempre há movimento. Mas é toda a imagem-movimento que é posta em questão. E ainda aqui, é evidente, a nova imagem óptica e sonora remete a condições exteriores ocorridas depois da guerra, nem que sejam os espaços *[75]* em ruína ou desativados, todas as formas de "perambulação" que tomam o lugar da ação, e por toda parte a ascensão do intolerável.

Uma imagem nunca está só. O que conta é a relação entre imagens. Ora, quando a percepção se torna puramente óptica e sonora, com o que entra ela em relação, já que não é mais com a ação? A imagem atual, cortada de seu prolongamento motor, entra em relação com uma imagem virtual, imagem mental ou em espelho. Vi a fábrica, pensei estar vendo condenados... Ao invés de um prolongamento linear, tem-se um circuito em que as duas imagens não param de correr uma atrás da outra, em torno de um ponto de indistinção entre o real e o imaginário. Dir-se-ia que a imagem atual e sua imagem virtual cristalizam. É uma imagem-cristal, sempre dupla ou reduplicada, tal como se encontra em Renoir, mas também em Ophuls, e tal como será encontrada de uma outra maneira ainda em Fellini. Há muitos modos de cristalização da imagem, e de signos cristalinos. Mas sempre se vê algo no cristal. O que se vê, primeiro, é o Tempo, os lençóis de tempo, uma imagem-tempo direta. Não que o movimento tenha cessado, mas a relação entre movimento e tempo se inverteu. O tempo não resulta mais da composição das imagens-movimento (montagem), ao contrário, é o movimento que decorre do tempo. A montagem não desaparece necessariamente, mas muda de sentido, torna-se "mostragem", como diz Lapoujade. Em segundo lugar, a imagem mantém novas relações com seus próprios elementos ópticos e sonoros: dir-se-ia que a vidência faz dela algo "legível", mais ainda que visível. Torna-se possível toda uma pedagogia da imagem à maneira de Godard. Enfim, a imagem torna-se pensamento, capaz de apreender os mecanismos do pensamento, ao mesmo tempo em que a câmera assume diversas funções que equivalem verdadeiramente a funções proposicionais. *[76]* Creio que é sob esses três aspectos que se ultrapassa a imagem-movimento. Numa classificação, poderíamos falar de "cronosignos", "lektosignos" e "noosignos".

— *Você é muito crítico em relação à linguística, e às teorias sobre o cinema inspiradas nessa disciplina. E no entanto, você fala de imagens que se tornariam "legíveis", mais que "visíveis". Ora, o termo "legível" aplicado ao cinema esteve muito em voga justamente no momento da dominação linguística ("ler um filme", "leituras" de filmes...). Será que o emprego dessa palavra não corre o risco de prestar-se à confusão? Será que seu termo de imagem legível recobre algo diferente da ideia linguística, ou o traz de volta a ela?*

— Não, não me parece. As tentativas de aplicar a linguística ao cinema são catastróficas. Certamente, pensadores como Metz ou Pasolini fizeram uma obra crítica importantíssima. Mas neles a referência ao modelo linguístico sempre acaba mostrando que o cinema é outra coisa, e que, se é uma linguagem, é uma linguagem analógica ou de modulação. Por conseguinte, pode-se pensar que a referência ao modelo linguístico é um desvio indesejável. Entre os mais belos textos de Bazin há um onde ele explica que a fotografia é um molde, uma moldagem (e daria para dizer de outra maneira que a linguagem também é um molde), enquanto o cinema é todo ele modulação. Não são só as vozes, mas os sons, as luzes, os movimentos que estão em modulação perpétua. Parâmetros da imagem, eles são colocados em variação, em repetição, em pisca-pisca, em anel etc. Se há uma evolução atual em relação ao cinema dito clássico, que já ia tão longe nesse sentido, é sob dois pontos de vista, como o mostra a imagem eletrônica: a multiplicação dos parâmetros, e a constituição de séries divergentes, *[77]* enquanto a imagem clássica tendia para uma convergência de séries. Por isso a visibilidade da imagem torna-se uma legibilidade. Legível designa aqui a independência dos parâmetros e a divergência das séries. Há também um outro aspecto, que se liga a uma de nossas observações precedentes. É a questão da verticalidade. Nosso mundo óptico está condicionado em parte pela estatura vertical. Um crítico americano, Leo Steinberg, explicava que a pintura moderna se define menos por um espaço plano puramente óptico que pelo abandono do privilégio vertical: é como se o modelo da janela fosse substituído por um plano opaco, horizontal ou inclinável, sobre o qual os dados se inscrevem. Seria isso a legibilidade, que não implica uma linguagem, mas algo da ordem do diagrama. É a fórmula de Beckett: mais vale estar sentado que de pé, e deitado que sentado. O balé moderno é exemplar a esse respeito: acontece de os movimentos mais dinâmicos se passarem no chão, enquanto que, de pé, os dançarinos se aglutinam e dão a impressão de que cairiam caso se separassem. No cinema, pode ser que a tela conserve uma verticalidade apenas nominal, e funcione como um plano horizontal ou inclinável. Michael Snow colocou seriamente em questão o privilégio da verticalidade, e até construiu um aparelho com este fim. Os grandes autores de cinema fazem como Varèse na música: produzem necessariamente com aquilo que têm, mas apelam para novos aparelhos, novos instrumentos. Esses instrumentos giram em falso na mão dos autores medíocres, e para estes substituem as ideias. No caso dos grandes autores, ao contrário, esses aparelhos são solicitados por suas ideias. É por isso que não acredito na morte do cinema em favor da televisão ou do vídeo. Todo novo meio lhes serve.

— *Talvez colocar em xeque a verticalidade seja, com efeito, uma das grandes questões do cinema moderno: [78] está no cerne, por exemplo, do último filme de Glauber Rocha,* A idade da terra, *filme esplêndido e que comporta planos inverossímeis, verdadeiros desafios à verticalidade. No entanto, será que ao se considerar o cinema apenas sob este ângulo "geometral", espacial, você não evita uma dimensão propriamente dramática, e que vem à tona por exemplo no problema do* olhar, *tal como autores como Hitchcock ou Lang o trataram? Você de fato menciona, a propósito do primeiro, uma função como a "des-marca", que parece fazer implicitamente referência ao olhar. Mas a noção de olhar, e até o próprio termo, estão completamente ausentes de seu livro. É deliberado?*

— Não sei se esta noção é indispensável. O olho já está nas coisas, ele faz parte da imagem, ele é a visibilidade da imagem. É o que Bergson mostra: a imagem é luminosa ou visível nela mesma, ela só precisa de uma "tela negra" que a impeça de se mover em todos os sentidos com as outras imagens, que impeça a luz de se difundir, de se propagar em todas as direções, que reflita e refrate a luz. "A luz que, propagando-se sempre, jamais teria sido revelada..." O olho não é a câmera, é a tela. Quanto à câmera, com todas as suas funções proposicionais, é antes um terceiro olho, o olho do espírito. Você invoca o caso de Hitchcock: é verdade que ele introduz o espectador no filme, como o mostraram Truffaut, Douchet. Mas não é questão de olhar. É antes porque ele enquadra a ação em todo um tecido de relações. A ação, por exemplo, é um crime. Mas as relações constituem uma outra dimensão, segundo a qual o criminoso "doa" seu crime a alguém, ou então o troca, ou o devolve a uma outra pessoa. É o que Rohmer e Chabrol viram tão bem. Essas relações não são ações, mas atos simbólicos que *[79]* só têm uma existência mental (a dádiva, a troca etc.). Ora, é isso que a câmera desvela: o enquadramento e o movimento da câmera manifestam as relações mentais. Se Hitchcock de fato é inglês, é porque o que o interessa é o problema e os paradoxos da relação. O quadro dele é como um quadro de tapeçaria: sustenta a cadeia de relações, ao passo que a ação constitui somente a trama móvel que passa por baixo e por cima. Portanto, o que Hitchcock introduz assim no cinema é a imagem mental. Não se trata de olhar, e se a câmera é um olho, é o olho do espírito. Daí o lugar extraordinário de Hitchcock no cinema: ele ultrapassa a imagem-ação em direção a algo mais profundo, às relações mentais, a uma espécie de vidência. Ocorre que, ao invés de ver nisso a crise da imagem-ação, e da imagem-movimento em geral, ele leva a uma consumação, uma saturação. De tal modo que se pode dizer, conforme a preferência, que ele é o último dos clássicos, ou o primeiro dos modernos.

— *Hitchcock é, para você, o cineasta das relações por excelência, do que você designa por terceiridade. As relações é o que você chama de o* todo*? É um ponto difícil de seu livro. Você invoca Bergson dizendo: o todo não é fechado, ao contrário, é o* Aberto, *é algo que sempre está aberto. O que está fechado são os conjuntos, não se deve confundir...*

— O Aberto é bem conhecido como uma noção poética cara a Rilke. Mas é também uma noção filosófica de Bergson.

O que importa é a distinção entre os conjuntos e o todo. Se se confunde os dois, o todo perde seu sentido, e se cai no paradoxo célebre do conjunto de todos os conjuntos. Um conjunto pode reunir elementos muito diversos: nem por isso ele é menos fechado, relativamente fechado ou artificialmente fechado. Digo *[80]* "artificialmente" porque sempre tem um fio, por mais fino que seja, que une o conjunto a um conjunto mais vasto, ao infinito. Mas o todo é de uma outra natureza, é da ordem do tempo: ele atravessa todos os conjuntos, e é ele precisamente que os impede de realizarem até o fim sua própria tendência, isto é, de se fecharem completamente. Bergson não cessará de dizer: o Tempo é o Aberto, é o que muda e não para de mudar de natureza a cada instante. É o todo, que não é um conjunto, mas a passagem perpétua de um conjunto a um outro, a transformação de um conjunto num outro. É muito difícil pensar essa relação tempo-todo-aberto. Mas é precisamente o cinema que nos torna isso mais fácil. Há como que três níveis cinematográficos coexistentes: o enquadramento é a determinação de um conjunto provisório artificialmente fechado; a decupagem é a determinação do ou dos movimentos que se distribuem nos elementos do conjunto; mas o movimento exprime também uma mudança ou uma variação do todo, sendo este uma questão de montagem. O todo atravessa todos os conjuntos, e os impede precisamente de se fecharem "totalmente". Quando se fala de espaço *off*, se quer dizer duas coisas: por um lado, que todo conjunto dado faz parte de um conjunto mais vasto, em duas ou três dimensões; mas também que todos os conjuntos mergulham num todo de uma outra natureza, de uma quarta ou quinta dimensão, e que não cessa de variar através dos conjuntos que ele atravessa, por mais vastos que sejam. Num caso, é uma extensão espacial e material; mas no outro caso, é a determinação espiritual, à maneira de Dreyer ou de Bresson. Os dois aspectos não se excluem, mas se completam, se relançam, ora um é o privilegiado, ora o outro. O cinema não parou de jogar com esses níveis coexistentes, cada grande autor com sua maneira de os conceber e os praticar. Num grande filme, como em toda obra *[81]* de arte, há sempre algo aberto. E procurem em cada caso o que é, é o tempo, é o todo, tal como aparecem no filme, de maneira muito diversa.

(*Cahiers du Cinéma*, nº 352, outubro de 1982,
entrevista a Pascal Bonitzer e Jean Narboni, realizada a
13 de setembro, escrita e completada pelos participantes)

SOBRE A *IMAGEM-TEMPO*
[82]

— *Cem anos de cinema... e é só hoje que um filósofo se propõe enunciar conceitos próprios ao cinema. O que pensar desse ponto cego da reflexão filosófica?*

— É verdade que os filósofos se ocuparam pouco do cinema, mesmo quando o frequentavam. E no entanto, há uma coincidência. É ao mesmo tempo que o cinema surge e que a filosofia se esforça em pensar o movimento. Mas talvez seja esta a razão pela qual a filosofia não atribui suficiente importância ao cinema; ela está demasiado ocupada em realizar por si só uma tarefa análoga à do cinema; ela quer pôr o movimento no pensamento, como o cinema o põe na imagem. Há uma independência das duas pesquisas, antes que haja encontro possível. Resta o fato de que os críticos de cinema, pelo menos os maiores, são filósofos na medida em que se propõem uma estética do cinema. Eles não o são de formação, mas se tornam. Já era essa a aventura de Bazin.

— *O que você ainda espera da crítica de cinema hoje? Que papel caberia a ela?*

— A crítica de cinema esbarra num duplo obstáculo: é preciso evitar simplesmente descrever os filmes, mas *[83]* também aplicar-lhes conceitos vindos de fora. A tarefa da crítica é formar conceitos, que evidentemente não estão "dados" no filme, e que, no entanto, só convêm ao cinema, e a tal gênero de filmes, a tal ou qual filme. Conceitos próprios ao cinema, mas que só podem ser elaborados filosoficamente. Não são noções técnicas (*travelling*, *raccords*, falsos *raccords*, profundidade de campo, planeza etc.), mas a técnica não é nada se não serve a fins que ela supõe e que ela não explica.

São esses fins que constituem os conceitos do cinema. O cinema executa um automovimento da imagem, e até uma autotemporalização: isto é a base, e são os dois aspectos que tentei estudar. Mas, o que será que, desse modo, o cinema nos revela do espaço e do tempo que as outras artes não nos revelam? Um *travelling* e uma panorâmica não são de modo algum o mesmo espaço. Mais que isso, acontece de um *travelling* parar de traçar um espaço, e mergulhar no tempo: por exemplo em Visconti. Tentei analisar o espaço em Kurosawa e em Mizoguchi: por um lado é um englobante, por outro é uma linha de universo. É muito diferente: o que se passa sobre uma linha de universo não é o que se passa num englobante. As técnicas estão subordinadas a essas grandes finalidades. É isso que é difícil: é preciso ao mesmo tempo monografias de autores, mas em cada caso inseridas nas diferenciações de conceitos, nas especificações, nas reorganizações que implicam o cinema como um todo.

— *Da problemática corpo-pensamento, que atravessa sua reflexão, como excluir a psicanálise e sua relação com o cinema? Ou ainda a linguística? Em suma, os "conceitos vindos de outro lugar"?*

— É o mesmo problema. Os conceitos que a *[84]* filosofia propõe em relação ao cinema devem ser específicos, isto é, não convir senão ao cinema. Sempre se pode relacionar o enquadramento com a castração, ou o primeiro plano com o objeto parcial: não vejo o que isso traz ao cinema. Mesmo o "imaginário": não é certeza que seja uma noção válida no cinema, o cinema é produtor de realidade. Por mais que se faça a psicanálise de Dreyer, aqui como em outros casos, isso não acrescenta grande coisa. Valeria mais a pena confrontar Dreyer e Kierkegaard; porque este já pensava que o problema era "fazer" o movimento, e que só a "escolha" o fazia: a decisão espiritual torna-se o objeto adequado ao cinema.

Não é uma psicanálise comparada de Kierkegaard e de Dreyer que nos fará avançar nesse problema filosófico-cinematográfico. Como a determinação espiritual pode ser o objeto do cinema? Reencontra-se essa questão de maneira muito diversa em Bresson, em Rohmer, e isso envolve todo o cinema, de modo algum um cinema abstrato, porém o mais comovente, o mais fascinante.

Ora, poderia dizer-se o mesmo da linguística: ela também se contenta em fornecer conceitos que, vindos de fora, se aplicam ao cinema, por exemplo o "sintagma". Mas com isso a imagem cinematográfica é reduzida a um enunciado, e se coloca entre parênteses seu caráter constitutivo — o movimento. A narração no cinema é como o imaginário: é uma consequência muito indireta, que decorre do movimento e do tempo, não o inverso. O cinema sempre contará o que os movimentos e os tempos da imagem lhe fazem contar. Se o movimento recebe sua regra de um esquema sensório-motor, isto é, apresenta um personagem que reage a uma situação, então haverá uma história. Se, ao contrário, o esquema sensório-motor desmorona, em favor de movimentos não orientados, desconexos, *[85]* serão outras formas, devires mais que histórias.

— *Daí a importância do neorrealismo, que você aprofunda em seu livro. Um corte crucial, ligado à guerra de maneira evidente (Rossellini, Visconti, na Itália; Ray, na América). No entanto, Ozu antes, e Welles depois, rejeitam toda abordagem historicizante demais...*

— Sim, se a grande ruptura acontece no fim da guerra, com o neorrealismo, é justamente porque ele registra a falência dos esquemas sensório-motores: os personagens não "sabem" mais reagir às situações que os ultrapassam, porque é horrível demais, ou belo demais, ou insolúvel... Então nasce uma nova raça de personagens. Mas, sobretudo, nasce a possibilidade de temporalizar a imagem cinematográfica: é o tempo puro, um pouco de tempo em estado puro, mais que movimento. Esta revolução do cinema podia ser preparada em outras condições, em Welles, e bem antes da guerra, em Ozu. Em Welles há uma espessura do tempo, camadas de tempo coexistentes, que a profundidade de campo revelará num escalonamento propriamente temporal. Em Ozu, se as célebres naturezas mortas são plenamente cinematográficas, é porque elas detectam o tempo como forma imutável num mundo que já perdeu suas relações sensório-motoras.

— *Mas a que critérios referir essas mudanças? Como avaliá-las, esteticamente ou de uma outra maneira...? Em suma: sobre o que fundar uma avaliação dos filmes?*

— Creio que há um critério particularmente importante; é a biologia do cérebro, uma microbiologia. Ela está em plena mutação, e acumula descobertas extraordinárias. Não é a psicanálise nem a linguística, *[86]* é a biologia do cérebro que forneceria critérios, porque ela não tem o inconveniente das duas outras disciplinas de aplicar conceitos já prontos. Seria o caso de considerar o cérebro como uma matéria relativamente indiferenciada, e se perguntar quais circuitos, que tipos de circuito a imagem-movimento ou a imagem-tempo traçam, inventam, uma vez que os circuitos não preexistem.

Seja um cinema como o de Resnais: é um cinema do cérebro, embora ele seja o mais divertido, ou o mais comovente. Os circuitos que arrastam os personagens de Resnais, as ondas nas quais eles se instalam, são circuitos cerebrais, ondas cerebrais. O cinema inteiro vale pelos circuitos cerebrais que ele instaura, justamente porque a imagem está em movimento. Cerebral não quer dizer intelectual: existe um cérebro emotivo, passional... A esse respeito, a questão que se coloca concerne à riqueza, à complexidade, ao teor desses agenciamentos, dessas conexões, disjunções, circuitos e curto-circuitos. Pois a maioria da produção cinematográfica, com sua violência arbitrária e seu erotismo imbecil, testemunha uma deficiência do cerebelo, não uma invenção de novos circuitos cerebrais. O exemplo dos videoclipes é patético: poderia até ser um novo campo cinematográfico muito interessante, mas foi imediatamente apropriado por uma deficiência organizada. A estética não é indiferente a essas questões de cretinização, ou, ao contrário, de cerebralização. Criar novos circuitos diz respeito ao cérebro e também à arte.

— *O cinema parece* a priori *mais instalado na cidade que o filósofo. Como preencher este hiato, que prática adotar?*

— É incerto. Não creio que os Straub, por exemplo, mesmo enquanto cineastas políticos, se insiram mais facilmente na "cidade". Toda criação tem um *[87]* valor e um teor políticos. Mas o problema é que ela se concilia mal com os circuitos de informação e de comunicação, que são circuitos inteiramente preparados e degenerados de antemão. Todas as formas de criação, inclusive a eventual criação na televisão, encontram aqui seu inimigo comum. É sempre uma questão cerebral: o cérebro é a face oculta de todos os circuitos, que podem fazer triunfar os reflexos condicionados mais rudimentares, tanto quanto dar uma oportunidade a traçados mais criativos, a ligações menos "prováveis".

O cérebro é um volume espaço-temporal: cabe à arte traçar nele novos caminhos atuais. Pode-se falar de sinapses cinematográficas, *raccords* e falsos *raccords*: não são os mesmos, nem os mesmos circuitos, por exemplo em Godard, em Resnais. A importância ou o alcance coletivos do cinema me parecem depender desse tipo de problemas.

(*Cinéma*, nº 334, 18 de dezembro de 1985, entrevista a Gilbert Cabasso e Fabrice Revault d'Allonnes)

DÚVIDAS SOBRE O IMAGINÁRIO
[88]

Questões

1. A imagem-movimento *parece retomar a problemática de* Lógica do sentido, *embora a desloque profundamente. Enquanto* Lógica do sentido *explorava a relação consubstancial entre o paradoxo e a linguagem*, A imagem-movimento *sugere uma saída para fora do paradoxo, ao substituir a ideia de conjunto paradoxal pela noção transversal de totalidade aberta, infinita.*

Qual é a parte do modelo cinematográfico nessa operação resolutiva que, ao ler Bergson a partir do cinema, chegaria a considerar "o universo como cinema em si"?

Em outros termos, o cinema desempenha em sua pesquisa o papel de metáfora que esclarece a leitura de um texto conceitual, ou de conceituador que engrena a montagem de uma nova lógica?

2. Sua reflexão, ancorada no par Bergson-cinema, opera com categorias (estéticas) e entidades (filosóficas) que você qualifica finalmente como Ideias, no sentido platônico do termo.

Por outro lado, mesmo recusando a análise semiológica do cinema, você reencontra a semiologia geral dos signos proposta por Peirce.

Parece-lhe que o cinema tem uma vocação privilegiada [89] para relançar, com base no modo maquínico, um pensamento do substancial e do universal? Quais são, nas pró-

prias noções de imagem-movimento e de imagem-tempo, os fatores que sustentam essa concepção do cinema? Ou ainda, quais são as relações da imagem com o movimento na noção de imagem-movimento?

3. Em sua análise do cinema, você nunca emprega o conceito de imaginário, amplamente utilizado em outras pesquisas para qualificar a linguagem cinematográfica.

Quais são as razões dessa abstenção? Suas reflexões sobre o papel da luz na figuração fílmica, sua hipótese sedutora de um olhar que já está na imagem não lhe permitiriam precisar sua concepção do imaginário?

4. Num sentido mais amplo, a noção de imaginário, particularmente variável conforme as disciplinas, teria um lugar no campo filosófico? Como você a definiria?

5. Sua análise do cinema não poderia conduzi-lo a especificar a função heurística do imaginário em sua própria pesquisa — inclusive sobre o cinema — e em sua prática de escrita?

1. A ideia de uma totalidade aberta tem um sentido propriamente cinematográfico. Com efeito, quando a imagem é um movimento, as imagens não se encadeiam sem se interiorizarem num todo, que se exterioriza ele mesmo em imagens encadeadas. Eisenstein fez a teoria desse circuito imagem-todo, onde um relança o outro: o todo muda, ao mesmo tempo em que as imagens se encadeiam. Ele invoca a dialética. E na prática, segundo ele, isso corresponde à relação plano-montagem.

Mas o cinema não se esgota no modelo de uma totalidade aberta em movimento. Não só é possível compreender essa totalidade de uma maneira nada *[90]* dialética (no cinema americano, alemão e francês do pré-guerra), mas o cinema do pós-guerra põe em questão o próprio modelo. Talvez porque a imagem cinematográfica deixe de ser uma imagem-movimento para tornar-se uma imagem-tempo: é o que eu tento mostrar no segundo tomo. O modelo do todo, da totalidade aberta, supõe que haja relações comensuráveis ou cortes racionais entre imagens, na própria imagem, entre a imagem e o todo. É esta a condição para que exista totalidade aberta; também Eisenstein fará a teoria explícita aí com o número de ouro, e essa teoria não é uma "aplicação" forçada, ela está profundamente ligada à prática dele, e mesmo a uma prática bastante geral do cinema do pré-guerra. Se o cinema do pós-guerra rompe com esse modelo, é porque ele faz emergir todo tipo de cortes irracionais, de relações incomensuráveis entre imagens. Os falsos *raccords* tornam-se a lei (uma lei perigosa, já que se pode estragar um falso *raccord* assim como um verdadeiro, ainda mais que um verdadeiro).

Portanto, encontraríamos aqui conjuntos paradoxais. Mas se os cortes irracionais tornam-se desse modo o essencial, é que o essencial não é mais a imagem-movimento, é antes a imagem-tempo. Desse ponto de vista, o modelo de uma totalidade aberta que decorre do movimento não vale mais: não há totalização, interiorização num todo, nem exteriorização do todo. Não há mais encadeamento de imagens por cortes racionais, mas reencadeamentos sobre cortes irracionais (Resnais, Godard). É um outro regime cinematográfico, onde reencontraríamos os paradoxos da linguagem. Com efeito, o primeiro cinema falado me parece ter mantido o primado da imagem visual, ele fez do sonoro uma nova dimensão da imagem visual, uma quarta dimensão, muitas vezes admirável. Ao contrário, o cinema falado do pós-guerra tende para uma autonomia do sonoro, um *[91]* corte irracional entre o sonoro e visual (Straub, Syberberg, Duras). Não há mais totalização, porque o tempo já não decorre do movimento para medi-lo, porém se mostra nele mesmo para suscitar falsos movimentos.

Por conseguinte, não penso que o cinema se confunda com o modelo de uma totalidade aberta. Ele teve esse modelo, mas ele tem e terá tantos modelos quantos inventar. Por outro lado, não existem modelos que sejam próprios a uma disciplina ou a um saber. O que me interessa são as ressonâncias, sendo que cada domínio tem seus ritmos, sua história, suas evoluções e mutações defasadas. Uma arte poderá ter primazia, e lançar uma mutação que outras retomarão, desde que o façam com seus próprios meios. Por exemplo, a filosofia operou num certo momento uma mutação nas relações movimento-tempo; talvez o cinema faça a mesma coisa, mas num outro contexto, seguindo uma outra história. Então, os acontecimentos decisivos das duas histórias entram em ressonância, embora eles não se assemelhem em nada. O cinema é um tipo de imagem. Entre as imagens estéticas — com seus diferentes tipos —, as funções científicas, os conceitos filosóficos, existem correntes de troca mútua, independente de qualquer primado em geral. Em Bresson há espaços desconectados com *raccords* táteis; em Resnais há espaços probabilísticos e topológicos, que têm seu correlato em física e matemática, mas que o cinema constrói à sua maneira (*Eu te amo, eu te amo*). A relação cinema-filosofia é a relação da imagem com o conceito. Mas no próprio conceito existe uma relação com a imagem, e na imagem uma relação com o conceito: por exemplo, o cinema sempre quis construir uma imagem do pensamento, dos mecanismos do pensamento. E ele não é nada abstrato para isso, ao contrário. *[92]*

2. Com efeito, o que se poderia chamar de Ideias são essas instâncias que se efetuam ora nas imagens, ora nas funções, ora nos conceitos. O que efetua a Ideia é o signo. No cinema, as imagens são signos. Os signos são as imagens consideradas do ponto de vista de sua composição e de sua gênese. É a noção de signo que sempre me interessou. O cinema faz nascer signos que lhe são próprios e cuja classificação lhe pertence, mas, uma vez criados, eles voltam a irromper em outro lugar, e o mundo se põe a "fazer cinema". Se me servi de Peirce, foi porque há nele uma reflexão profunda sobre as

imagens e os signos. Em contrapartida, se a semiótica de inspiração linguística me perturba, é porque ela suprime tanto a noção de imagem como a de signo. Ela reduz a imagem a um enunciado, o que me parece muito estranho, e por conseguinte descobre, forçosamente, operações linguageiras subjacentes ao enunciado, sintagmas, paradigmas, o significante. É um passe de mágica, que implica em colocar entre parênteses o movimento. O cinema é primeiramente imagem-movimento: nem sequer há alguma "relação" entre a imagem e o movimento, o cinema cria o automovimento da imagem. Depois, quando o cinema faz sua revolução "kantiana", quer dizer, quando ele deixa de subordinar o tempo ao movimento, quando faz o movimento depender do tempo (o falso movimento como apresentação das relações do tempo), então a imagem cinematográfica torna-se uma imagem-tempo, uma autotemporalização da imagem. A questão não é pois saber se o cinema tem uma pretensão ao universal. A questão não é a do universal, mas do singular: quais são as singularidades da imagem? A imagem é uma figura que não se define por representar universalmente, e sim por suas singularidades internas, pelos pontos singulares que ela junta: por exemplo, os cortes racionais cuja teoria Eisenstein faz *[93]* para a imagem-movimento, ou os cortes irracionais para a imagem-tempo.

3, 4 e 5. Com efeito, temos aí um problema propriamente filosófico: será o "imaginário" um bom conceito? Inicialmente há um primeiro par, "real-irreal". Pode-se defini-lo à maneira de Bergson: o real é a conexão legal, o encadeamento prolongado dos atuais; o irreal é a aparição brusca e descontínua à consciência, é um virtual enquanto se atualiza. Além disso, há um outro par, "verdadeiro-falso". O real e o irreal são sempre distintos, mas a distinção entre os dois nem sempre é discernível; existe o falso quando a distinção entre o real e o irreal não é mais discernível. Porém, precisamente, quando há falso, o verdadeiro por sua vez não é mais decidível. O falso não é um erro ou uma confusão, mas uma potência que torna o verdadeiro indecidível.

O imaginário é uma noção muito complicada, porque está no entrecruzamento dos dois pares. O imaginário não é o irreal, mas a indiscernibilidade entre o real e o irreal. Os dois termos não se correspondem, eles permanecem distintos, mas não cessam de trocar sua distinção. É o que se vê bem no fenômeno cristalino, segundo três aspectos: existe a troca entre uma imagem atual e uma imagem virtual, o virtual tornando-se atual e vice-versa; e também há uma troca entre o límpido e o opaco, o opaco tornando-se límpido e inversamente; enfim, há a troca entre um germe e um meio. Creio que o imaginário é esse conjunto de trocas. O imaginário é a imagem-cristal. Ela foi determinante para o cinema moderno: sob formas muito diversas, nós a encontramos em Ophuls, em Renoir, em Fellini, em Visconti, em Tarkovski, em Zanussi...

Em seguida, há o que se vê no cristal. O que se vê no cristal é o falso, ou melhor, a potência do falso. A potência do falso é o tempo em pessoa, *[94]* não porque os conteúdos do tempo sejam variáveis, mas porque a forma do tempo como devir põe em questão todo modelo formal de verdade. É o que acontece no cinema do tempo, primeiro em Welles, depois em Resnais, em Robbe-Grillet: é um cinema da indecidibilidade. Em suma, o imaginário não se ultrapassa em direção a um significante, mas em direção a uma apresentação do tempo puro.

É por isso que não atribuo muita importância à noção de imaginário. Por um lado, ela supõe uma cristalização, física, química ou psíquica; ela não define nada, mas se define pela imagem-cristal como circuito de trocas; imaginar é fabricar imagens-cristal, fazer a imagem funcionar como um cristal. Não é o imaginário, é o cristal que tem uma função heurística, segundo seu triplo circuito: atual-virtual, límpido-opaco, germe-meio. E por outro lado, o cristal propriamente só vale pelo que nele se vê, de modo que o imaginário é ultrapassado. O que se vê no cristal é o tempo tornado autônomo, independente do movimento, as relações de tempo que não param de engendrar o falso movimento. Não creio numa potência do imaginário, no sonho, no fantasma... etc. O imaginário é uma noção pouco determinada. Ela deve ser estreitamente condicionada: a condição é o cristal, e o incondicionado ao qual nos elevamos é o tempo.

Não creio numa especificidade do imaginário, mas em dois regimes de imagem: um regime que se poderia chamar de orgânico, que é o da imagem movimento, que opera por cortes racionais e por encadeamentos, e que projeta ele mesmo um modelo de verdade (a verdade é o todo...). E o outro é um regime cristalino, o da imagem-tempo, que procede por cortes irracionais e só tem reencadeamentos, e substitui o modelo da verdade pela potência do falso como devir. Precisamente porque o cinema colocava a imagem em movimento, possuía meios próprios para se deparar com esse *[95]* problema dos dois regimes. Mas os reencontramos em outro lugar, com outros meios: há muito tempo que Wörringer mostrou nas artes o enfrentamento entre um regime orgânico "clássico" e um regime inorgânico ou cristalino, não menos vital, no entanto, que o outro, mas de uma potente vida não orgânica, bárbara ou gótica. Há aí dois estados do estilo, sem que se possa dizer que um é mais "verdadeiro" que o outro, visto que o verdadeiro como modelo ou como Ideia pertence apenas a um dos dois. Pode ser também que o conceito, ou a filosofia, atravesse esses estados. Nietzsche é o exemplo do discurso filosófico que se precipita num regime cristalino, substituindo o modelo do verdadeiro pela potência do devir, a organização por uma vida não orgânica, os encadeamentos lógicos pelos reencadeamentos "páticos" (aforismo). O que Wörringer chamou de expressionismo é um belo caso de compreensão da vida não orgânica, que se efetuou plenamente no cinema, e que se entenderia mal invocando o imaginário. Mas o expressionismo é apenas um caso, que não esgota em absoluto o regime cristalino: existem decerto outras figuras, nos outros gêneros ou no cinema mesmo. Será que não existiriam ainda outros regimes, além dos dois considerados aqui, o cristalino e o orgânico? Evidentemente há outros (qual é o regime das imagens eletrônicas digitais, será um regime-silício em vez de um regime-carbono? Nisso também as artes, a ciência e a filosofia operariam encontros). A tarefa que eu teria desejado cumprir, nesses livros sobre o cinema, não é uma reflexão sobre o imaginário, é uma operação mais prática, disseminar cristais de tempo. É uma operação que se faz no cinema, mas também nas artes, nas ciências, na filosofia. Não se trata de imaginário, é um regime de signos. Em favor, espero, de outros regimes mais. A classificação dos signos é infinita, antes de mais nada porque há uma infinidade de classificações. O que me interessa *[96]* é uma disciplina um pouco particular, a taxinomia, uma classificação de classificações, que, contrariamente à linguística, não pode prescindir da noção de signo.

(*Hors-Cadre*, nº 4, 1986)

Carta a Serge Daney: OTIMISMO, PESSIMISMO E VIAGEM

[97]

Seu livro anterior, *La rampe* (1983), reuniu alguns artigos que você escreveu na revista *Cahiers du Cinéma*. O que fazia dele um livro autêntico era que você repartia os artigos segundo uma análise dos diferentes períodos atravessados pelos *Cahiers*, mas também e sobretudo segundo a análise das diversas funções da imagem cinematográfica. Um ilustre predecessor no campo das artes plásticas, Riegl, distinguia três finalidades da arte: embelezar a Natureza, espiritualizar a Natureza, rivalizar com a Natureza (e "embelezar", "espiritualizar", "rivalizar" tomam com ele um sentido decisivo, histórico e lógico). Você, na *periodização* que propõe, define uma primeira função que se exprime na questão: o que há para ver por trás da imagem? E o que há para ver sem dúvida só se apresentará nas imagens seguintes, mas agirá como aquilo que faz passar da primeira imagem para as outras, encadeando-as numa totalidade orgânica potente, que embeleza, mesmo se "o horror" faz parte da passagem. Você diz que essa primeira época tem como fórmula *O segredo atrás da porta*, "desejo de ver mais, de ver por trás, de ver através", onde qualquer objeto pode funcionar como um "esconderijo temporário", e onde cada filme se encadeia com os outros *[98]* numa reflexão ideal. Esse primeiro período do cinema será definido pela arte da Montagem, que pode culminar com os grandes trípticos e que constitui o embelezamento da Natureza ou a enciclopédia do Mundo. Mas também será definido por uma suposta profundidade da imagem, como harmonia ou acordo/acorde; por uma distribuição dos obstáculos e das transposições, das dissonâncias e das resoluções nessa profundidade; por um papel dos atores, dos corpos e das palavras próprias ao cinema nessa cenografia universal: sempre a serviço de um suplemento de ver, de um "ver a mais". Nesse seu novo livro, você propõe a biblioteca de Eisenstein, o Gabinete do Dr. Eisenstein como o símbolo dessa grande enciclopédia.

Ora, você notava que esse cinema não morreu sozinho, mas que a guerra o assassinou (o gabinete de Eisenstein em Moscou tornou-se de fato um lugar morto, deserdado, desativado. Syberberg levou muito longe certas observações de Walter Benjamin: é preciso julgar Hitler como cineasta... Você mesmo diz que "as grandes encenações políticas, as propagandas de Estado transformadas em quadros vivos, as primeiras administrações humanas de massa" realizaram o sonho cinematográfico, em condições onde o horror penetrava o todo, onde "por trás" da imagem não havia mais nada para ver a não ser os campos, e onde os corpos não tinham outro encadeamento senão o dos suplícios. Paul Virilio, por sua vez, mostrará que o fascismo foi vivido até o fim na concorrência com Hollywood. A enciclopédia do mundo, o embelezamento da Natureza, a política como "arte", segundo a expressão de Benjamin, tinham se transformado no horror puro. O todo orgânico não passava de totalitarismo, e o poder de autoridade já não revelava mais um autor ou um diretor, mas a realização de Caligari e de Mabuse ("o antigo ofício de diretor, dizia você, nunca mais seria inocente"). E se o cinema deveria ressuscitar depois da guerra, seria necessariamente *[99]* sobre novas bases, com uma nova função da imagem, uma nova "política", uma nova finalidade para a arte. Talvez a obra de Resnais seja a maior, a mais sintomática a esse respeito: é ele quem faz o cinema ressurgir dos mortos. Desde o princípio até o recente *Morrer de amor*, Resnais só tem um único tema, corpo ou ator cinematográfico, o homem que ressurge de dentre os mortos. Por isso você até chega a aproximar Resnais de Blanchot, "a escrita do desastre".

Depois da guerra, portanto, uma segunda função da imagem se exprimia numa questão inteiramente nova: o que há para ver na imagem? "Não mais: o que há para ver por trás?, mas antes: será que eu posso sustentar com o olhar isso, que de todo modo eu vejo? e que se desenrola num único plano?" O que mudava, então, era o conjunto das relações da imagem cinematográfica. A montagem podia tornar-se secundária, não apenas em favor do célebre "plano-sequência", mas em favor de novas formas de composição e de associação. A profundidade era denunciada como "engodo", e a imagem assumia sua planeza de "superfície sem profundidade", ou de *profundidade rasa*, à maneira dos baixios oceanográficos (e não se objetará a ela a profundidade de campo, como por exemplo em Welles, um dos mestres desse novo cinema que ele mostra tudo num imenso golpe de vista e destitui assim a antiga profundidade). As imagens não se encadeavam mais segundo a ordem unívoca de seus cortes e de seus *raccords*, mas eram objeto de reencadeamentos sempre recomeçados, remanejados, por cima dos cortes e dos falsos *raccords*. Mudava também a relação da imagem com os corpos e os atores cinematográficos: o corpo tornava-se mais dantesco, isto é, não era mais captado em ações, porém em posturas, com seus encadeamentos específicos (o que você mostra, ainda aqui, a propósito de Akerman, a propósito dos Straub, ou *[100]* numa página surpreendente onde você diz que o ator, numa cena de alcoolismo, não precisa mais acompanhar o movimento e titubear como no antigo cinema, mas ao contrário, conquistar uma postura, aquela através da qual o verdadeiro alcoólatra aguenta firme...) Mudava ainda a relação da imagem com as palavras, os sons, a música, com dissimetrias fundamentais entre o sonoro e o visual, que dariam ao olho um poder de ler a imagem, mas também ao ouvido um poder de alucinar os pequenos ruídos. Finalmente, esse novo período do cinema, essa nova função da imagem, era uma *pedagogia da percepção*, que vinha substituir a *enciclopédia do mundo* esfacelada: cinema de vidente que certamente não se propõe mais embelezar a natureza, mas *espiritualizá-la*, no mais alto grau de intensidade. Como perguntar-se o que há por trás da imagem (ou na sequência...), quando nem sequer se sabe ver o que existe nela ou dentro dela, na medida em que falta o olho do espírito? E de fato é possível marcar auges nesse novo cinema, mas será sempre uma pedagogia que nos conduzirá até eles, pedagogia-Rossellini, "pedagogia straubiana, pedagogia godardiana", dizia você em *La rampe*, às quais você acrescenta agora a pedagogia de Antonioni, ao analisar o olho e o ouvido do ciumento como uma "arte poética", que detecta tudo o que for suscetível de desvanecer, de desaparecer, a começar por uma mulher na ilha deserta...

Se você se filia a uma tradição crítica, é à de Bazin e dos *Cahiers*, bem como de Bonitzer, Narboni ou Schefer. Você não renunciou à ideia de achar um vínculo profundo do cinema com o pensamento, e você conserva uma função a um só tempo poética e estética da crítica de cinema (enquanto muitos de nossos contemporâneos acreditaram ser preciso restringir-se à linguagem, a um formalismo linguístico, a fim de salvar o caráter sério da crítica). Você preservou portanto a grande concepção do primeiro período: o cinema como *[101]* nova Arte e novo Pensamento. Ocorre que nos primeiros cineastas e críticos, de Eisenstein ou Gance a Élie Faure, isso foi inseparável de um otimismo metafísico: a arte total das massas. A guerra e seus antecedentes, ao contrário, impuseram um pessimismo metafísico radical. Porém você salvou um otimismo que se torna crítico: o cinema ficaria ligado não mais a um pensamento triunfante e coletivo, mas a um pensamento arriscado, singular, que só se apreende e se conserva no seu "impoder", tal como ele retorna dos mortos e enfrenta a nulidade da produção geral.

É que um terceiro período, uma terceira função da imagem, uma terceira relação se delineava. Não mais: o que há para ver por trás da imagem? Nem: como ver a própria imagem? Mas: como se inserir nela, como deslizar para dentro dela, já que cada imagem desliza agora sobre outras imagens, já que "o fundo da imagem é sempre já uma imagem", e o olho vazio é uma lente de contato? E então você pôde dizer que o círculo se fechava, que Syberberg encontrava Meliès, mas num luto interminável e numa provocação sem objeto, que ameaçavam fazer seu otimismo crítico transformar-se em pessimismo crítico. Com efeito, dois fatores diferentes se cruzavam nessa nova relação da imagem: por um lado, o desenvolvimento interno do cinema, em busca de suas novas combinações audiovisuais e de suas grandes pedagogias (não só Rossellini, Resnais, Godard, os Straub, mas Syberberg, Duras, Oliveira...), pesquisas que poderiam encontrar na televisão um campo e meios excepcionais; por outro lado, o desenvolvimento próprio da televisão, enquanto concorrente do cinema, que o "realiza" e o "generaliza" efetivamente. Ora, por mais imbricados que estejam, esses dois aspectos são fundamentalmente diferentes, *e não influem no mesmo nível*. Pois se o cinema buscava na televisão *[102]* e no vídeo um "retransmissor" para as novas funções estéticas e noéticas, a televisão, por seu lado, (apesar dos raros primeiros esforços) assegurou para si antes de tudo uma *função social* que quebrava de antemão qualquer retransmissão, apropriou-se do vídeo, e substituiu as possibilidades de beleza e pensamento por poderes inteiramente outros.

Então aparecia uma aventura semelhante àquela do primeiro período: assim como o poder de autoridade, culminando com o fascismo e com as grandes manipulações de Estado, tinha impossibilitado o primeiro cinema, o novo poder social do pós-guerra, de vigilância ou de controle, ameaçava matar o segundo cinema. Controle foi o nome que Burroughs deu ao poder moderno. O próprio Mabuse mudava de figura, passando a operar através de televisores. Ainda nesse caso, o cinema não morria de morte natural: ele ainda estava bem no começo de suas novas pesquisas e criações. Mas a morte violenta consistiria nisto: em vez de a imagem ter uma imagem no fundo dela, e de a arte atingir seu estágio de "rivalizar com a Natureza", todas as imagens me remeteriam a uma única, a de meu olho vazio em contato com uma não-Natureza; espectador controlado que passa para os bastidores, sendo inserido na imagem através do contato com a imagem. Pesquisas recentes mostram que um dos espetáculos mais apreciados consiste em assistir um programa de televisão no estúdio: não é questão de beleza nem de pensamento, mas de estar em contato com a técnica, tocar a técnica. O *zoom-contact* não está mais nas mãos de Rossellini, mas tornou-se um procedimento universal da televisão; o *raccord*, através do qual a arte embelezava e espiritualizava a Natureza, depois rivalizava com ela, converteu-se em inserção televisiva. A visita à fábrica, com sua disciplina severa, tornou-se o ideal do espetáculo (como se fabrica um programa?), e o *enriquecedor* é o valor estético supremo ("é enriquecedor"...). A enciclopédia do mundo e a pedagogia da percepção desmoronaram, *[103]* em favor de uma formação profissional do olho, um mundo de controladores e controlados que se comunicam através da admiração pela técnica, nada além da técnica. Por toda parte a lente de contato. É aqui que seu otimismo crítico se converte em pessimismo crítico.

Seu novo livro é uma continuação do primeiro. Agora trata-se de entrar nesse confronto cinema-televisão, em seus dois níveis diferentes. Por isso, embora com alusões frequentes ao assunto, você não reduz o problema a uma comparação abstrata entre a imagem cinematográfica e as novas imagens. Seu funcionalismo felizmente o impede. E deste ponto de vista, você certamente não ignora que a televisão tem uma função estética potencial, tanto quanto qualquer outro meio de expressão, e inversamente, que o cinema nunca deixou de se chocar, no interior dele mesmo, contra poderes que contrariavam fortemente sua eventual finalidade estética. Mas o que me parece extremamente interessante no *Ciné-Journal*, é que você tenta fixar dois "fatos", com suas respectivas condições. O primeiro é que a televisão, apesar das tentativas importantes e em boa parte vindas dos grandes cineastas, não buscou sua especificidade numa função estética, mas numa função social, função de controle e de poder, onde reina o plano médio, que recusa toda aventura da percepção em nome do olho profissional. De tal modo que, quando ocorre uma inovação, ela pode vir de um lugar inesperado, numa circunstância excepcional: segundo você, quando por exemplo o presidente Giscard d'Estaing inventa o plano vazio na televisão, ou quando uma marca de papel higiênico ressuscita a comédia americana. O segundo fato, ao contrário, é que o cinema, apesar de todos os poderes que ele serviu (e até instaurou), sempre "conservou" uma função estética e noética, mesmo que essa função fosse frágil ou mal apreendida. A comparação, portanto, não deve ser feita entre tipos de imagem, mas entre a função estética do cinema e a função *[104]* social da televisão: a seu ver, esta comparação não só é capenga, como deve ser capenga, só assim ela tem sentido.

Mas é necessário ainda fixar as condições desta função estética do cinema. Parece-me que a esse respeito você diz coisas muito curiosas ao se perguntar: o que é ser crítico de cinema? Você toma o exemplo de um filme como *Les Morfalous*, que dispensa qualquer projeção para a imprensa, recusa a crítica como absolutamente inútil e reivindica uma relação direta com o público enquanto "consenso social". É perfeitamente justificável, já que o cinema não tem necessidade alguma da crítica para encher as salas nem para preencher sua função social. Se portanto a crítica tem algum sentido, é na medida em que um filme apresenta um suplemento, uma espécie de defasagem em relação a um público ainda virtual, de tal modo que é preciso ganhar tempo, e conservar vestígios disso enquanto se espera. Essa noção de "suplemento" sem dúvida não é simples, talvez ela lhe venha de Derrida, e você a reinterpreta à sua maneira: o suplemento é verdadeiramente a função estética do filme, precária, mas isolável em certos casos e certas condições, um pouco de arte e de pensamento. Por isso você faz de Henri Langlois e de André Bazin uma dupla maior. Pois um "tinha uma ideia fixa, mostrar que o cinema valia a pena ser conservado", e o outro, "a mesma ideia, mas ao avesso", mostrar que o cinema conservava, conservava tudo o que valia, "espelho singular cuja pintura de fundo reteria a imagem". Como é possível dizer que um material tão frágil conserva? E o que significa conservar, que parece uma função bem modesta? Não se trata do material, mas da imagem mesma: você mostra que a imagem cinematográfica conserva em si; ela conserva a única vez em que um homem chorou, em *Gertrud* de Dreyer; ela conserva o vento, não as grandes tempestades com função social, mas "onde a câmera brinca *[105]* com o vento, o antecipa, volta atrás", como em Sjöström ou nos Straub; ela conserva ou guarda tudo o que é possível, as crianças, as casas vazias, os plátanos, como em *Sem teto nem lei* de Varda, e em todo Ozu; conservar, mas sempre a contratempo, porque o tempo cinematográfico não é o que escorre, mas o que dura e coexiste. Conservar neste sentido não é pouca coisa, é criar, criar sempre um suplemento (seja para embelezar a Natureza, seja para espiritualizá-la). É próprio do suplemento só poder ser criado, e é esta a função estética ou noética, ela mesmo suplementar. Você poderia ter feito uma longa teoria, mas preferiu falar muito concretamente, o mais próximo de sua experiência crítica, na medida em que o crítico, segundo você, é aquele que "vela" sobre o suplemento, e assim detecta a função estética do cinema.

Por que não reconhecer para a televisão esta mesma potência de suplemento, ou de criação que conserva? Em princípio, nada deveria opor-se a isto, com outros meios, se as funções sociais da televisão (os jogos, a informação) não sufocassem sua eventual função estética. Nesse estado, a televisão é o consenso por excelência: é a técnica imediatamente social, que não deixa subsistir defasagem alguma em relação ao social; é o sociotécnico em estado puro. Como é que a formação profissional, o olho profissional deixaria subsistir um suplemento como aventura da percepção? Por isso, se fosse preciso escolher entre as mais belas páginas de seu livro, eu citaria: aquelas onde você mostra que o *replay*, o *replay* imediato, vem substituir o suplemento ou a autoconservação na televisão, do qual na verdade ele é o contrário; aquelas em que você recusa toda possibilidade de *saltar* do cinema para a comunicação, ou de estabelecer um "rodízio" entre um e outro, já que qualquer rodízio só poderia estabelecer-se com uma televisão dotada de um suplemento não comunicativo, *[106]* um suplemento que se chamaria Welles; aquelas em que você explica que o olho profissional da televisão, o famoso olho técnico-social pelo qual o espectador ele mesmo é convidado a ver, engendra uma perfeição imediata e suficiente, instantaneamente controlável e controlada. Pois você não se dá nenhuma facilidade, e não critica a televisão em nome de suas imperfeições, mas de sua perfeição pura e simples. Ela encontrou o meio de chegar a uma perfeição técnica, que coincide estritamente com a nulidade estética e noética absoluta (daí a visita à fábrica como um novo espetáculo). Para você, é Bergman quem confirma isso, com muita alegria e amor pelo que a televisão poderia trazer às artes: *Dallas* é absolutamente nulo, e perfeito do ponto de vista técnico-social. Num outro gênero, dir-se-ia o mesmo do programa de variedades literárias *Apostrophes*: literariamente (esteticamente, noeticamente) é nulo, e tecnicamente perfeito. Dizer que a televisão não tem alma é dizer que ela não tem suplemento, com exceção daquele que você lhe empresta, ao descrever o crítico extenuado em seu quarto de hotel, novamente ligando a TV, verificando que todas as imagens se equivalem, tendo perdido o presente, o passado e o futuro, em proveito exclusivo de um tempo que escorre.

É do cinema que veio a crítica mais radical à informação, por exemplo com Godard, ou de uma outra maneira com Syberberg (não só nas suas declarações, mas através de sua obra concreta); é da televisão que surge o novo risco de uma morte do cinema. Esse confronto, sempre desigual ou capenga, você precisou ir "ver" bem de perto. O cinema tinha enfrentado uma primeira morte, sob os golpes de um poder de autoridade que culminou com o fascismo. Por que a eventual segunda morte do cinema passaria pela televisão, como a primeira passou pelo rádio? É que a televisão é a forma *[107]* através da qual os novos poderes de "controle" tornam-se imediatos e diretos. Ir ao cerne do confronto seria quase se perguntar se o controle não poderia ser revertido, ser colocado a serviço da função suplementar que se opõe ao poder: inventar uma arte do controle que seria como que a nova resistência. Levar a luta ao coração do cinema, fazer com que o cinema a assuma como *seu* problema, ao invés de se deparar com ele vindo de fora: é o que Burroughs fez pela literatura, quando substituiu o ponto de vista do autor e da autoridade pelo do controle e do controlador. Ora, não será essa, como você o sugere, a tentativa retomada por Coppola para o cinema, com todas suas incertezas e ambiguidades, mas também seu combate real? E você dá o belo nome de *maneirismo* a esse estado de crispação ou de convulsão em que se apoia o cinema, para se voltar contra o sistema que o quer controlar ou substituí-lo. "Maneirismo", já era assim que você definia em *La rampe* o terceiro estado da imagem: quando não há mais nada para ver por trás dela, quando não há mais muita coisa para ver nela ou dentro dela, mas quando a imagem desliza sempre sobre uma imagem preexistente, pressuposta quando "o fundo da imagem é sempre já uma imagem", indefinidamente, e que é isto que é preciso ver.

É o estágio em que a arte já não embeleza nem espiritualiza a Natureza, mas rivaliza com ela: é uma perda de mundo, é o mundo ele mesmo se pondo a "fazer cinema", um cinema qualquer; e é o que constitui a televisão, quando o mundo se põe a fazer qualquer cinema, e que, como você diz, "nada mais acontece aos humanos, é com a imagem que tudo acontece". Também se poderia dizer que o par Natureza-corpo, ou Paisagem-homem, cedeu lugar ao par Cidade-cérebro: a tela não é mais uma porta-janela (por trás da qual...), nem um quadro-plano (no qual...), mas uma mesa de informação sobre a qual as imagens deslizam *[108]* como "dados". Mas como ainda falar de arte se é o mundo que faz *seu* cinema, diretamente controlado e imediatamente tratado pela televisão, que dele exclui toda função suplementar? Seria preciso que o cinema deixasse de fazer cinema, que estabelecesse relações específicas com o vídeo, a eletrônica, as imagens digitais, para inventar a nova resistência e se opor à função televisiva de vigilância e de controle. Não se trata de passar por cima da televisão — como seria isso possível? — mas de impedir a televisão de trair ou de passar por cima do desenvolvimento do cinema nas novas imagens. Pois, como você o mostra, "a televisão tendo desprezado, menosprezado, recalcado seu devir vídeo, o único pelo qual ela tinha alguma chance de herdar do cinema moderno do pós-guerra (...) o gosto pela imagem decomposta e recomposta, pela ruptura com o teatro, por uma outra percepção do corpo humano e de seu banho de imagens e de sons, deve-se esperar que esse desenvolvimento da videoarte ameace por sua vez a TV...". É aí que se esboçaria a nova arte da Cidade-cérebro, ou da rivalidade com a Natureza. E esse maneirismo já apresentaria muitos caminhos e trilhas diversas, alguns inutilizáveis, outros tateantes, cheios de esperança. Maneirismo da "pré-visualização" por vídeo, em Coppola, onde a imagem já é fabricada fora da câmera. Mas um maneirismo inteiramente outro, com técnicas severas e tanto mais sóbrias, em Syberberg, onde as marionetes e as projeções frontais fazem a imagem evoluir sobre um fundo de imagens. Será esse o mesmo mundo dos videoclipes, dos efeitos especiais do cine-espacial? Talvez os clipes, até na sua ruptura com as tentativas oníricas, pudessem ter participado desta pesquisa de "novas associações" que Syberberg reivindica, esboçando os novos circuitos cerebrais de um cinema do futuro, caso não tivessem sido imediatamente capturados por um mercado da *[109]* cançoneta, fria organização da debilidade do cerebelo, crise de epilepsia minuciosamente controlada (um pouco como, no período precedente, o cinema fora desapossado pelo "espetáculo histérico" das grandes propagandas...). E talvez o cine-espacial também pudesse ter participado de uma criação estética e noética, se tivesse sabido dar à viagem uma última razão de ser, como queria Burroughs, se tivesse sabido romper o controle ao qual está submetido um "sujeito corajoso na lua, que não esqueceu seu livro de orações". Se tivesse compreendido melhor a inesgotável lição de Michael Snow em *La région centrale*, inventando a mais sóbria técnica para rodar a imagem sobre a imagem, e a natureza selvagem sobre a arte, levando o cinema até o puro *Spatium*. E como prejulgar as pesquisas imagens-sons-música tais como os que apenas começam na obra de Resnais, de Godard, dos Straub e de Duras? E o maneirismo das posturas do corpo, que nova Comédia vai sair daí? Seu conceito de maneirismo é extremamente bem fundado, desde que se compreenda quão diversos são os maneirismos, quão heterogêneos, sobretudo sem medida comum de valor; o termo designando apenas o terreno de um combate onde a arte e o pensamento saltam junto com o cinema para um novo elemento, enquanto o poder de controle se esforça em lhes roubar esse elemento, de já ocupá-lo a fim de fazer dele a nova clínica sociotécnica. O maneirismo, em todos esses sentidos contrários, é a convulsão cinema-televisão, onde estão lado a lado o pior e a esperança.

Você precisava ir lá "ver de perto". Então você virou jornalista, no *Libération*, sem romper sua afinidade com os *Cahiers*. E já que uma das razões mais interessantes do devir jornalista é querer viajar, você compôs uma nova série de artigos críticos, com várias pesquisas, reportagens e deslocamentos. Mas ainda aqui, o que faz deste um livro autêntico, é que tudo se entrelaça em torno desse *[110]* problema convulsivo, sobre o qual *La rampe* tinha concluído de maneira um pouco melancólica. Talvez toda reflexão sobre a viagem passe por quatro observações, que se encontram uma em Fitzgerald, a segunda em Toynbee, a terceira em Beckett e a última em Proust. A primeira constata que a viagem, mesmo nas ilhas ou nos grandes espaços, nunca provoca uma verdadeira "ruptura", desde que se leve consigo sua Bíblia, suas recordações de infância e seu discurso ordinário. A segunda é que a viagem persegue um ideal nômade, mas como um desejo vão, porque o nômade é, pelo contrário, aquele que não se mexe, que não quer partir e se agarra à sua terra deserdada, região central (você mesmo diz a propósito do filme de Van der Keuken, que ir para o Sul é necessariamente cruzar aqueles que querem *ficar* onde estão). É que, segundo a terceira observação, a mais profunda ou a de Beckett, "nós não viajamos pelo prazer de viajar, que eu saiba somos idiotas, mas não a tal ponto"... Então, em última instância, por que, senão para *verificar*, ir verificar algo, algo inexprimível que vem da alma, de um sonho ou de um pesadelo, nem que seja para saber se os chineses são tão amarelos quanto se diz, ou se tal cor improvável, um raio verde, tal atmosfera azulada e púrpura, existe de fato em algum lugar, lá longe? O verdadeiro sonhador, dizia Proust, é o que vai verificar alguma coisa... E eis que você, por sua vez, o que você vai verificar em suas viagens é que o mundo está mesmo fazendo cinema, não para de fazer cinema, e que é isso a televisão: o fazer-cinema do mundo inteiro; de tal modo que viajar é ir ver "a que momento da história da mídia" a cidade, tal cidade, pertence.

Assim é sua descrição de São Paulo, a cidade-cérebro autodevoradora. Acontece-lhe até de ir ao Japão para ver Kurosawa e verificar como o vento japonês infla os estandartes de *Ran*; mas como não havia vento *[111]* naquele dia, você constata que miseráveis ventiladores iriam substituí-lo, e, milagre, dariam à imagem esse suplemento interior indestrutível, em suma, essa beleza ou esse pensamento que a imagem só conserva porque eles só existem na imagem, porque a imagem os criou.

Significa dizer que suas viagens terão sido ambíguas. Por um lado você constata por toda parte que o mundo faz seu cinema, e que essa é a função social da televisão, a grande função de controle: daí seu pessimismo e até seu desespero críticos. Por outro lado, você constata que o cinema permanece inteiramente por fazer, e que é ele a viagem absoluta, enquanto as outras viagens não passam de uma verificação do estado da TV: daí seu otimismo crítico. No entrecruzamento dessas duas vias, uma convulsão, uma ciclotimia que é a sua, uma vertigem, um Maneirismo como essência da arte, mas também como terreno de combate. E de um lado a outro, pareceria às vezes que as coisas se permutam. Pois, de TV em TV, o viajante não poderá se impedir de pensar, e de devolver ao cinema o que lhe pertence, arrancando-o dos jogos bem como das informações: uma espécie de implosão que libera um pouco de cinema nas séries televisivas que você compõe, por exemplo a série das três cidades ou dos três campeões de tênis. E, inversamente, quando você volta ao cinema como crítico, é para perceber ainda melhor que a imagem mais plana se pregueia quase insensivelmente, se estratifica, formando zonas de espessura que o forçam a viajar nela, mas numa viagem enfim suplementar e sem controle: as três velocidades em Wajda, ou sobretudo os três movimentos em Mizoguchi, os três cenários que você descobre em Imamura, os três grandes círculos que se traçam em *Fanny e Alexandre*, onde você reencontra os três estados, as três funções do cinema em Bergman, o teatro embelezando a vida, o antiteatro espiritual dos *[112]* rostos, a operação rival da magia. Por que três com tanta frequência, tanto de um lado como de outro, nas análises de seu livro? Talvez porque 3 ora venha fechar tudo e assentar 2 sobre 1, ora, ao contrário, arraste 2 e o faça fugir para longe da unidade, abrindo-o e salvando-o. Três ou o vídeo, a questão do pessimismo e do otimismo críticos, seu próximo livro? O próprio combate tem tantas variações que ele pode prosseguir com todos os acidentes do terreno. Por exemplo, entre a velocidade do movimento que o cinema americano não para de multiplicar, e a lentidão das matérias que o cinema soviético mede e conserva. Você diz num belo texto que "os americanos levaram muito longe o estudo do movimento contínuo, da velocidade e da linha de fuga, de um movimento que esvazia a imagem de seu peso, de sua matéria, de um corpo em estado de imponderabilidade..., enquanto na Europa, na própria URSS, arriscando-se a uma marginalização mortal, alguns se dão ao luxo de interrogar o movimento na sua outra vertente: lento e descontínuo. Paradjanov, Tarkovski, mas já Eisenstein, Dovjenko ou Barnet, olham a matéria se acumulando e se ingurgitando, uma geologia de elementos, de lixo e de tesouros em câmera lenta: eles fazem o cinema de inclinação suave soviético, esse império imóvel...". E, se é verdade que os americanos usaram o vídeo para ir ainda mais rápido (e controlar as altas velocidades), como devolver o vídeo à lentidão que escapa ao controle, e que conserva, como lhe ensinar a ir devagar, segundo um "conselho" de Godard a Coppola?

(In Serge Daney, *Ciné-Journal*, prefácio, Paris, Éditions Cahiers du Cinéma, 1986)

III
MICHEL FOUCAULT

RACHAR AS COISAS, RACHAR AS PALAVRAS *[115]*

— *Quando e em que ocasião você conheceu Michel Foucault?*

— Lembramos de um gesto ou de um riso, mais que de datas. Eu o conheci por volta de 1962, quando ele acabava de escrever *Raymond Roussel* e *O nascimento da clínica*. E depois de 1968 juntei-me a eles no Grupo de Informação sobre as Prisões, que ele e Daniel Defert tinham criado. Encontrei Foucault com frequência, tenho muitas recordações como que involuntárias e que me pegam pelas costas, porque a alegria do que evocam se mistura ao sofrimento provocado por sua morte. Infelizmente não o vi nos últimos anos de vida; depois de *A vontade de saber* ele atravessou vários tipos de crise: política, vital, de pensamento. Como todo grande pensador, seu pensamento procedeu sempre por crise e abalos como condição de criação, como condição de uma coerência última. Tive a impressão que ele queria estar só, ir para onde não pudessem segui-lo, exceto alguns íntimos. Eu tinha muito mais necessidade dele do que ele de mim.

— *Michel Foucault dedicou a você vários artigos. Você também diversas vezes escreveu sobre ele. Contudo, não há como deixar de ver algo de simbólico no fato de que agora, depois da sua morte, você publique um [116]* Foucault. *Mil hipóteses nos vêm à mente. Deve-se ver nisso os efeitos de um "trabalho de luto"? Será uma maneira de responder "pelos dois" às críticas de anti-humanismo vindas recentemente tanto da direita como da esquerda? Uma maneira de fechar o círculo e selar o fim de uma certa "era filosófica"? Ou ao contrário, um apelo para prosseguir a trilha aberta por ele? Ou nada disso?*

— Para mim este livro é primeiro uma necessidade. É muito diferente dos artigos que tratam de noções determinadas. Aqui eu procuro o conjunto do pensamento de Foucault. O conjunto, quer dizer: aquilo que o força a passar de um nível a outro. O que o força a descobrir o poder sob o saber, e o que o força a descobrir os "modos de subjetivação" fora das malhas do poder? A lógica de um pensamento é o conjunto das crises que ele atravessa, assemelha-se mais a uma cadeia vulcânica do que a um sistema tranquilo e próximo do equilíbrio. Eu não sentiria necessidade de escrever esse livro caso não tivesse a impressão de que se entendeu mal essas passagens, esses saltos, essa lógica de Foucault. Mesmo uma noção como a de enunciado não me parece ter sido compreendida de modo suficientemente concreto. Nem por isso estou certo de ter razão em relação a outras leituras. Quanto às objeções atuais, elas não vêm dos leitores e não têm interesse algum: consistem em criticar algumas respostas de Foucault, apreendidas vagamente, sem levar minimamente em conta os problemas que elas supõem. É o caso da "morte do homem". O fenômeno é comum: cada vez que morre um grande pensador, os imbecis sentem-se aliviados e fazem um estardalhaço dos infernos. Esse livro é então um apelo para prosseguir o trabalho, apesar das tentações atuais de retrocesso? Talvez, mas já existe um Centro Foucault onde se reúnem aqueles que *[117]* trabalham em certas direções ou seguindo métodos próximos a Foucault. Um livro recente como o de François Ewald, *L'État-providence*, é profundamente original (finalmente uma nova filosofia do direito) e ao mesmo tempo não seria possível sem Foucault. Não é um trabalho de luto; o não-luto exige todavia mais trabalho. Se meu livro pudesse ser ainda outra coisa, eu recorreria a uma noção constante em Foucault, a de duplo. Foucault é obcecado pelo duplo, inclusive na alteridade própria ao duplo. Eu quis extrair um duplo de Foucault, no sentido que ele dava a essa palavra: "repetição, duplicatura, retorno do mesmo, rompimento, imperceptível diferença, duplicação e fatal dilaceração".

— Nos anos 60-70, Michel Foucault e você foram — ainda que contra a vontade e apesar de cada um ter feito de tudo para evitá-lo — "mestres pensadores", especialmente em relação aos estudantes. Isto criou por vezes alguma rivalidade entre vocês? As relações Foucault/Deleuze — no plano pessoal, profissional ou intelectual — foram do tipo Deleuze/Guattari, Sartre/Aron, ou Sartre/Merleau-Ponty?

— Ora, é esse livro, e não eu, infelizmente, que gostaria de ser um duplo de Foucault. Minha relação com Félix Guattari forçosamente é de todo diferente, já que temos um longo trabalho em comum, ao passo que com Foucault não trabalhei. No entanto, creio na existência de muitos pontos de correspondência entre o nosso trabalho e o seu, mas que se mantêm como que à distância por uma grande diferença de método e mesmo de objetivo. São pontos muito preciosos para mim, inestimáveis: mais do que um objetivo, havia uma causa comum. Na verdade, que Foucault existisse, com essa personalidade tão forte e tão misteriosa, que ele tenha escrito livros tão belos, com tal estilo, nunca senti em relação a isso senão alegria. Num texto extraordinário, que é uma simples conversa *[118]* publicada, Foucault opõe a paixão ao amor. Tal como ele o define, eu me encontrava num certo estado de paixão em relação a ele ("há momentos fortes e momentos fracos, momentos em que isso é levado à incandescência, em que isso flutua, é uma espécie de instante instável que se prolonga por razões obscuras, talvez por inércia..."). Como teria rivalidade ou ciúme, já que o admirava? Quando se admira alguém não se seleciona, pode-se preferir tal ou qual livro a tal outro, mas toma-se assim mesmo o todo: percebe-se que o que parece um tempo menos forte é um momento absolutamente necessário ao momento seguinte. Percebe-se que na sua experimentação e na sua alquimia, o autor não chegaria à nova revelação que nos deslumbra se não tivesse passado por este caminho através deste ou daquele desvio cuja necessidade não se compreendeu de imediato. Não gosto das pessoas que dizem de uma obra: "até aqui, vai, mas depois é ruim, embora mais tarde volte a ser interessante...". É preciso tomar a obra por inteiro, segui-la e não julgá-la, captar suas bifurcações, estagnações, avanços, brechas, aceitá-la, recebê-la inteira. Caso contrário não se compreende nada. Seguir Foucault nos problemas que ele enfrenta, nas rupturas ou desvios que lhe são necessários, antes de pretender julgar suas soluções, será isto tratá-lo como um "mestre pensador"? Você fala como se essa noção fosse evidente, incontestável. Para mim é uma noção duvidosa e pueril. Quando as pessoas seguem Foucault, quando têm paixão por ele, é porque têm algo a fazer com ele, em seu próprio trabalho, na sua existência autônoma. Não é apenas uma questão de compreensão ou de acordo intelectuais, mas de intensidade, de ressonância, de acorde musical. Afinal, as belas aulas se parecem mais a um concerto que a um sermão, é um solo que os outros "acompanham". E Foucault dava aulas admiráveis. *[119]*

— *Na* Chronique des idées perdues *François Châtelet, ao evocar a amizade muito antiga com você, com Guattari, com Schérer e Lyotard, escreve que vocês eram do* "mesmo time" *e tinham — marca talvez da verdadeira conivência — os* "mesmos inimigos". *Você diria o mesmo de Michel Foucault? Vocês eram do mesmo time?*

— Penso que sim. Châtelet tinha um sentimento vivo disso tudo. Ser do mesmo time é também rir das mesmas coisas, ou então calar-se, não precisar "explicar-se". É tão agradável não ter que se explicar! Tínhamos também, possivelmente, uma concepção comum da filosofia. Não possuíamos o gosto pelas abstrações, o Uno, o Todo, a Razão, o Sujeito. Nossa tarefa era analisar estados mistos, agenciamentos, aquilo que Foucault chamava de dispositivos. Era preciso, não remontar aos pontos, mas seguir e desemaranhar as linhas: uma cartografia, que implicava numa microanálise (o que Foucault chamava de microfísica do poder e Guattari, micropolítica do desejo). É nos agenciamentos que encontraríamos focos de unificação, nós de totalização, processos de subjetivação, sempre relativos, a serem sempre desfeitos a fim de seguirmos ainda mais longe uma linha agitada. Não buscaríamos origens mesmo perdidas ou rasuradas, mas pegaríamos as coisas onde elas crescem, pelo meio: rachar as coisas, rachar as palavras. Não buscaríamos o eterno, ainda que fosse a eternidade do tempo, mas a formação do novo, a emergência ou o que Foucault chamou de "a atualidade". O atual ou o novo, talvez seja a *energeia*, próxima de Aristóteles, mas ainda mais de Nietzsche (embora Nietzsche o tenha chamado de o inatual).

— Não é também uma arte das "superfícies"? Você gostava da fórmula de Valéry, "o mais profundo é a pele"... [120]

— Sim, é uma linda fórmula. Os dermatologistas deveriam inscrevê-la em sua porta. A filosofia como dermatologia geral, ou arte das superfícies (tentei descrever essas superfícies na *Lógica do sentido*). As novas imagens relançam o problema. Precisamente em Foucault, a superfície torna-se essencialmente superfície de inscrição: é todo o tema do enunciado "ao mesmo tempo não visível e não oculto". A arqueologia é a constituição de uma superfície de inscrição. Se você não constituir uma superfície de inscrição, o não-oculto permanecerá não-visível. A superfície não se opõe à profundidade (voltamos à superfície), mas à interpretação. O método de Foucault sempre se contrapôs aos métodos de interpretação. Jamais interprete, experimente... O tema tão importante em Foucault das dobras e redobras remete à pele.

— *Um dia você disse a Michel Foucault: "Você foi o primeiro a nos ensinar algo fundamental: a indignidade de falar pelos outros". Foi em 1972, numa época ainda quente, no rastro de Maio de 68, (Maio de 68, do qual aliás você diz em seu livro que "lendo certas análises, acreditar-se-ia que foi produto da cabeça de intelectuais parisienses"). Creio que para você essa dignidade de não falar pelos outros deveria ser parte do intelectual. Você retomaria hoje esses mesmos termos para definir o estatuto do intelectual, esse que a imprensa diz ter emudecido?*

— Sim, é normal que a filosofia moderna, que levou muito longe a crítica da representação, recuse qualquer tentativa de falar no lugar dos outros. Cada vez que se ouve: ninguém pode negar..., todo mundo há de reconhecer que..., sabemos que vem uma mentira ou um slogan. Mesmo depois de 68 era comum, por exemplo num programa de televisão sobre as prisões, que se fizesse falar todo mundo, o juiz, o guarda, a visitante, *[121]* o homem da rua, todo mundo menos um preso ou um ex-preso. Hoje isso ficou mais difícil, e é uma conquista de 68: que as pessoas falem em seu próprio nome. E isso vale também para o intelectual: Foucault dizia que o intelectual deixou de ser universal para tornar-se específico, ou seja, não fala mais em nome de valores universais, mas em nome de sua própria competência e situação (para Foucault essa mudança se deu no momento em que os físicos se voltaram contra a bomba atômica). Que os médicos não tenham o direito de falar em nome dos doentes, e que tenham também o dever de falar, como médicos, sobre problemas políticos, jurídicos, industriais, ecológicos; vai nesta linha a necessidade de se criarem grupos no espírito de 68, unindo por exemplo médicos, doentes, enfermeiros. São grupos multivocais. O Grupo de Informação sobre as Prisões organizado por Foucault e Defert foi um desses grupos: é o que Guattari chamava de "transversalidade", por oposição aos grupos hierarquizados onde qualquer um fala em nome dos outros. Para a Aids, Defert constituiu um grupo desse tipo, ao mesmo tempo acolhimento, informação e luta. O que significa então falar em seu próprio nome e não pelos outros? Evidentemente não se trata de cada um ter sua hora da verdade, nem escrever suas Memórias ou fazer sua psicanálise: não é falar na primeira pessoa do singular. É nomear as potências impessoais, físicas e mentais que enfrentamos e combatemos quando tentamos atingir um objetivo, e só tomamos consciência do objetivo em meio ao combate. Neste sentido, o próprio Ser é político. Nesse livro não tento falar por Foucault, mas traçar uma transversal, uma diagonal que iria forçosamente dele até mim (não tenho escolha), e que dissesse alguma coisa dos seus objetivos e dos seus combates como os percebi.

— *"Produziu-se uma fulguração, que levará o nome [122] de Deleuze. Um novo pensamento é possível, de novo o pensamento é possível. Ele está aí, nos textos de Deleuze, saltitante, dançante, diante de nós, entre nós... Um dia talvez o século será deleuziano." Essas linhas levam a assinatura de Michel Foucault. Não creio que alguma vez você as tenha comentado.*

— Não sei o que queria dizer Foucault, nunca lhe perguntei. Ele tinha um humor diabólico. Talvez quisesse dizer isto: que eu era o mais ingênuo entre os filósofos de nossa geração. Em todos nós você encontra temas como a multiplicidade, a diferença, a repetição. Mas eu proponho sobre esses temas conceitos quase brutos, enquanto os outros trabalham com mais mediações. Jamais fui sensível à superação da metafísica ou à morte da filosofia, e nunca fiz um drama da renúncia ao Todo, ao Uno, ao sujeito. Não rompi com uma espécie de empirismo, que faz uma exposição direta dos conceitos. Não passei pela estrutura, nem pela linguística ou a psicanálise, pela ciência ou mesmo pela história, porque penso que a filosofia tem sua matéria-prima que lhe permite entrar em relações exteriores, tanto mais necessárias, com essas outras disciplinas. Talvez seja isso que Foucault queria dizer: eu não era o melhor, porém o mais ingênuo, uma espécie de arte bruta, por assim dizer; não o mais profundo, porém o mais inocente (o mais desprovido de culpa por "fazer filosofia").

— *É impossível tentar repertoriar aqui todas as convergências (numerosas: do anti-hegelianismo à microfísica ou à micrológica), e as divergências entre a filosofia de Foucault e a sua; alguns artigos já foram escritos a respeito e outros trabalhos certamente estão em curso. Por isso, permita-me ir mais direto ao assunto. Você disse certa feita, nas colunas deste mesmo jornal, que a tarefa específica do filósofo [123] era fabricar conceitos. Qual é o conceito produzido por Foucault que lhe foi mais útil na sua própria elaboração filosófica e qual conceito foucaultiano lhe é o mais estranho? E inversamente, quais são os principais conceitos que Foucault, segundo você, pode ter retirado de sua filosofia?*

— Pode ser que *Diferença e repetição* o tenha afetado, porém antes disso ele já havia feito a mais bela análise desses temas em *Raymond Roussel*. Talvez também o conceito de agenciamento, que Félix e eu propusemos, o tenha ajudado na sua própria análise dos "dispositivos". Mas ele transformava profundamente tudo aquilo em que tocava. O conceito de enunciado, tal como ele o concebeu, me impressionou muito, pois implicava numa pragmática da linguagem capaz de renovar a linguística. Aliás, é curioso como Barthes e Foucault insistirão mais e mais numa pragmática generalizada, um num sentido mais epicureu, o outro mais estoico. E depois sua concepção das relações de força, no que excedem a simples violência: isso vem de Nietzsche, mas o prolonga, indo ainda mais longe que ele. Em toda a obra de Foucault há uma certa relação entre formas e forças que me influencia e que foi essencial para sua concepção da política, mas também da epistemologia e da estética. Também acontece às vezes de um "pequeno" conceito ter uma grande ressonância: a noção de homem infame é tão bela quanto o último dos homens em Nietzsche, e mostra até que ponto uma análise filosófica pode ser engraçada. O artigo sobre "A vida dos homens infames" é uma obra-prima. Gosto de voltar a esse texto como a um texto menor para Foucault, sem dúvida, e no entanto inesgotável, ativo, eficaz, com o que experimentamos o efeito de seu pensamento.

— *Falou-se muito, sobretudo na Itália, do "Renascimento-Nietzsche", do qual Foucault e você mesmo [124] seriam, entre outros, os... responsáveis. E também, diretamente ligados a ele, os problemas da diferença e do niilismo (o niilismo "ativo" e sua transvaloração "afirmativa"). Poderíamos aliás nos interrogar sobre as diferenças e as similitudes entre o "seu" Nietzsche e o de Foucault. Mas eu me contentaria em perguntar o seguinte: por que a fórmula de Foucault sobre a "morte do homem", muito nietzschiana, provocou tantos mal-entendidos, a ponto de suscitar a censura de que ele estaria negligenciando o homem e seus direitos, e raramente o gratificou com um "otimismo filosófico" ou uma confiança nas forças da vida, características, segundo dizem com frequência, da filosofia deleuziana?*

— Os mal-entendidos são frequentemente reações de bobagem raivosa. Há pessoas que não se sentem inteligentes senão quando descobrem "contradições" num grande pensador. Fizeram como se Foucault estivesse anunciando a morte dos homens existentes (e diziam: "que exagero!"), ou ao contrário, como se ele marcasse apenas uma mudança no conceito de homem ("é só isso!"). Mas não se trata nem de uma coisa nem de outra. É uma relação de forças, com uma forma dominante que decorre dela. Sejam as forças do homem, imaginar, conceber, querer... etc.: com que outras forças elas entram em relação, em tal época, e para compor que forma? Pode ocorrer que as forças do homem entrem na composição de uma forma não humana, mas animal, ou divina. Por exemplo, na Idade Clássica as forças do homem entram em relação com as forças de infinito, das "ordens de infinito", de tal modo que o homem é formado à imagem de Deus, e que sua finitude é somente uma limitação do infinito. É no século XIX que surge uma forma-Homem, porque as forças do homem se compõem com outras forças de finitude, descobertas na vida, no trabalho, na linguagem. Hoje é comum dizermos *[125]* que o homem enfrenta novas forças: o silício e não mais simplesmente o carbono, o cosmos e não mais o mundo... Por que a forma composta seria ainda o Homem? Os direitos do homem? Mas, como o mostra Ewald, são as próprias transformações do direito que atestam essa modificação de forma. Foucault reencontra Nietzsche ao renovar a questão da morte do homem. E, se o homem foi uma maneira de aprisionar a vida, não será necessário que, sob uma outra forma, a vida se libere no próprio homem? A este respeito, você se pergunta se eu não puxo Foucault em direção a um vitalismo que mal aparece em sua obra. Pelo menos em dois pontos essenciais creio que há de fato um vitalismo de Foucault, independente de qualquer "otimismo". Por um lado, as relações de força se exercem sobre uma linha de vida e de morte que não cessa de se dobrar e de se desdobrar, traçando o próprio limite do pensamento. E se Bichat parece a Foucault um grande autor, talvez seja porque Bichat escreveu o primeiro grande livro moderno sobre a morte, pluralizando as mortes parciais, fazendo da morte uma força coextensiva à vida: "vitalismo sob fundo de mortalismo", diz Foucault. Por outro lado, quando Foucault chega ao tema final da "subjetivação", esta consiste essencialmente na invenção de novas possibilidades de vida, como diz Nietzsche, na constituição de verdadeiros estilos de vida: dessa vez, um vitalismo sobre fundo estético.

— *Ninguém ficará surpreso por seu livro dar um lugar tão importante às análises foucaultianas do poder. Você insiste principalmente sobre a noção de diagrama que aparece em* Vigiar e punir, *diagrama que não é mais o arquivo de* A arqueologia do saber, *mas o mapa, a cartografia, a exposição das relações de força que constituem o poder. No entanto, no ensaio anexo ao livro de Dreyfus e [126] Rabinow,* Michel Foucault: un parcours philosophique *(Gallimard), obra notável que você cita muito, Foucault escreveu que o tema geral de suas pesquisas não foi o poder mas o sujeito, os modos de subjetivação do ser humano. O Foucault cartógrafo teria desenhado, ao invés de mapas, carteiras de identidade, que você diz serem* "mais sem identidade que identitárias"*? Em outros termos, compreender Foucault não significaria compreender a* "passagem" *de* Vigiar e punir *a* O cuidado de si *e à questão* "Quem sou eu"*?*

— É difícil, apesar de tudo, dizer que a filosofia de Foucault seja uma filosofia do sujeito. No máximo ela o "terá sido", quando Foucault descobriu a subjetividade como terceira dimensão. É que seu pensamento é feito de dimensões traçadas e exploradas sucessivamente, segundo uma necessidade criadora, mas que não estão compreendidas umas nas outras. É como uma linha quebrada cujas orientações diversas indicam acontecimentos imprevisíveis, inesperados (Foucault sempre "surpreendeu" seus leitores). O Poder delineia uma segunda dimensão irredutível à do Saber, embora ambos constituam mistos concretamente indivisíveis; mas o saber é feito de formas, o Visível, o Enunciável, em suma, o arquivo, enquanto o poder é feito de forças, relações de força, o diagrama. Por que Foucault passa do saber ao poder? É possível responder, desde que se entenda que essa passagem não é apenas uma mudança de tema. Foucault parte de uma concepção original que ele se faz do saber, para inventar uma nova concepção do poder. O mesmo acontece, e com mais razão, no caso do "sujeito": ele precisará de anos de silêncio para chegar, nos seus últimos livros, a essa terceira dimensão. Você tem razão quando diz que o importante é compreender a "passagem". Se Foucault tem necessidade de uma terceira dimensão, é porque tem a impressão *[127]* de se fechar nas relações de poder, que a linha termina ou que ele não consegue "transpô-la", que ele não dispõe de uma linha de fuga. É o que ele diz de maneira esplêndida em "A vida dos homens infames". Embora invoque focos de resistência, de onde vêm tais focos? Ele precisará pois de muito tempo para achar uma solução, já que de fato trata-se de criá-la. Então, será que se pode dizer que essa nova dimensão seja a do sujeito? Foucault não emprega a palavra sujeito como pessoa ou forma de identidade, mas os termos "subjetivação", no sentido de processo, e "Si", no sentido de relação (relação a si). E do que se trata? Trata-se de uma relação da força consigo (ao passo que o poder era a relação da força com outras forças), trata-se de uma "dobra" da força. Segundo a maneira de dobrar a linha de força, trata-se da constituição de modos de existência, ou da invenção de possibilidades de vida que também dizem respeito à morte, a nossas relações com a morte: não a existência como sujeito, mas como obra de arte. Trata-se de inventar modos de existência, segundo regras facultativas, capazes de resistir ao poder bem como se furtar ao saber, mesmo se o saber tenta penetrá-los e o poder tenta apropriar-se deles. Mas os modos de existência ou possibilidades de vida não cessam de se recriar, e surgem novos. Se é verdade que essa dimensão foi inventada pelos gregos, não fazemos um retorno aos gregos quando buscamos quais são aqueles que se delineiam hoje, qual é nosso querer-artista irredutível ao saber e ao poder. Assim como não há retorno aos gregos, não há retorno ao sujeito em Foucault. Acreditar que Foucault redescobre, reencontra a subjetividade que primeiro ele tinha negado, é um mal-entendido tão profundo quanto o da "morte do homem". Penso até que a subjetivação tem pouco a ver com um sujeito. Trata-se antes de um campo elétrico ou magnético, uma individuação operando por *[128]* intensidades (tanto baixas como altas), campos individuados e não pessoas ou identidades. É o que Foucault, em outras ocasiões, chama de paixão. Essa ideia de subjetivação em Foucault não é menos original que a de poder e de saber: as três constituem uma maneira de viver, uma figura estranha em três dimensões, assim como a maior filosofia moderna (e esta é uma declaração sem humor).

(*Libération*, 2 e 3 de setembro de 1986,
entrevista a Robert Maggiori)

A VIDA COMO OBRA DE ARTE
[129]

I

— *Você já comentou muito a obra de Foucault. Por que esse livro, dois anos após sua morte?*

— Por necessidade minha, admiração por ele, por emoção com sua morte, com esta obra interrompida. Sim, anteriormente eu havia feito artigos sobre pontos determinados (o enunciado, o poder). Mas agora procuro a lógica deste pensamento, que me parece uma das maiores filosofias modernas. A lógica de um pensamento não é um sistema racional em equilíbrio. Mesmo a linguagem parecia a Foucault um sistema longe do equilíbrio, ao inverso dos linguistas. A lógica de um pensamento é como um vento que nos impele, uma série de rajadas e de abalos. Pensava-se estar no porto, e de novo se é lançado ao alto mar, como diz Leibniz. É eminentemente o caso de Foucault. Seu pensamento não cessa de crescer em dimensões, e nenhuma das dimensões está contida na precedente. Então o que o força a lançar-se em tal direção, a traçar tal caminho sempre inesperado? Não há grande pensador que não passe por crises, elas marcam as horas de seu pensamento. *[130]*

II

— *Você o considera antes de mais nada como filósofo, enquanto muitos insistem sobre suas pesquisas históricas.*

— Com certeza a história faz parte de seu método. Mas Foucault nunca virou historiador. Foucault é um filósofo que inventa com a história uma relação inteiramente diferente que a dos filósofos da história. A história, segundo Foucault, nos cerca e nos delimita; não diz o que somos, mas aquilo de que estamos em vias de diferir; não estabelece nossa identidade, mas a dissipa em proveito do outro que somos. É por isso que Foucault considera séries históricas curtas e recentes (entre os séculos XVII e XIX). E mesmo quando considera, em seus últimos livros, uma série de longa duração, desde os gregos e os cristãos, é para descobrir no que é que não somos gregos nem cristãos, e nos tornamos outra coisa. Em suma, a história é o que nos separa de nós mesmos, e o que devemos transpor e atravessar para nos pensarmos a nós mesmos. Como diz Paul Veyne, o que se opõe ao tempo assim como à eternidade, é nossa atualidade. Foucault é o mais atual dos filósofos contemporâneos, aquele que mais radicalmente rompeu com o século XIX (daí sua aptidão para pensar o XIX). É a atualidade que interessa Foucault, o mesmo que Nietzsche chamava de o inatual ou o intempestivo, isto que é *in actu*, a filosofia como ato do pensamento.

III

— É nesse sentido que você diz que o essencial para Foucault é a questão: o que denominamos pensar?

— Sim, pensar como ato perigoso, diz ele. Foucault é certamente, com Heidegger, mas de uma maneira totalmente *[131]* diferente, aquele que mais profundamente renovou a imagem do pensamento. E essa imagem tem diferentes níveis, segundo as camadas ou os terrenos sucessivos da filosofia de Foucault. Pensar é, primeiramente, ver e falar, mas com a condição de que o olho não permaneça nas coisas e se eleve até as "visibilidades", e de que a linguagem não fique nas palavras ou frases e se eleve até os enunciados. É o pensamento como arquivo. Além disso, pensar é poder, isto é, estender relações de força, com a condição de compreender que as relações de força não se reduzem à violência, mas constituem ações sobre ações, ou seja atos, tais como "incitar, induzir, desviar, facilitar ou dificultar, ampliar ou limitar, tornar mais ou menos provável...". É o pensamento como estratégia. Por fim, nos últimos livros, é a descoberta de um pensamento como "processo de subjetivação": é estúpido ver aí um retorno ao sujeito, trata-se da constituição de modos de existência ou, como dizia Nietzsche, a invenção de novas possibilidades de vida. A existência não como sujeito, mas como obra de arte; esta última fase é o pensamento-artista. O importante é mostrar como se passa necessariamente de uma dessas determinações à outra: as passagens não estão dadas, elas coincidem com os caminhos que Foucault traça, com os patamares que ele alcança e que não lhe preexistem, com os abalos que ele produz e ao mesmo tempo experimenta.

IV

— *Tomemos os patamares por ordem. O que é o "arquivo"? Você diz que para Foucault o arquivo é "audiovisual"?*

— A arqueologia, a genealogia, são igualmente uma geologia. A arqueologia não é necessariamente o *[132]* passado. Há uma arqueologia do presente; de certa maneira ela está sempre no presente. A arqueologia é o arquivo, e o arquivo tem duas partes: audiovisual. A lição de gramática e a lição das coisas. Não se trata das palavras e das coisas (o livro de Foucault tem esse título só por ironia). É preciso pegar as coisas para extrair delas as visibilidades. E a visibilidade de uma época é o regime de luz, e as cintilações, os reflexos, os clarões que se produzem no contato da luz com as coisas. Do mesmo modo é preciso rachar as palavras ou as frases para delas extrair os enunciados. E o enunciável numa época é o regime da linguagem, e as variações inerentes pelas quais ele não cessa de passar, saltando de um sistema homogêneo a outro (a língua está sempre em desequilíbrio). O grande princípio histórico de Foucault é: toda formação histórica diz tudo o que pode dizer, e vê tudo o que pode ver. Por exemplo, a loucura no século XVII: sob qual luz ela pode ser vista, e em quais enunciados ela pode ser dita? E nós atualmente: o que somos capazes de dizer hoje, o que somos capazes de ver? Os filósofos geralmente têm sua filosofia por personalidade involuntária, a terceira pessoa. Aqueles que encontraram Foucault, o que os impressionava eram os olhos, a voz, e uma estatura reta entre os dois. Clarões e cintilações, enunciados arrancados às palavras, mesmo o riso de Foucault era um enunciado. E que haja disjunção entre ver e dizer, que os dois estejam separados por um afastamento, uma distância irredutível, significa apenas isto: não se resolverá o problema do conhecimento (ou melhor, do "saber") invocando uma correspondência, nem uma conformidade. Será preciso buscar em outro lugar a razão que os entrecruza e os tece um no outro. É como se o arquivo fosse *[133]* atravessado por uma grande falha, que põe, de um lado, a forma do visível, de outro, a forma do enunciável, ambas irredutíveis. E é fora das formas, numa outra dimensão, que passa o fio que as costura uma à outra e ocupa o entre-dois.

V

— *Não há nisso certas semelhanças com Maurice Blanchot, e mesmo uma influência de Blanchot?*

— Foucault sempre reconheceu uma dívida em relação a Blanchot. Ela talvez se refira a três pontos. Inicialmente, "falar não é ver...", diferença que faz com que dizendo-se o que não se pode ver, leve-se a linguagem a seu extremo limite, elevando-a à potência do indizível. A seguir, a superioridade da terceira pessoa, o "ele" ou o neutro, o "se", em relação às duas primeiras, a recusa de toda personalogia linguística. Por fim, o tema do Fora: a relação, que é também "não-relação", com um Fora mais longínquo que todo mundo exterior, e por isso mesmo mais próximo que todo mundo interior. E não é diminuir a importância desses encontros com Blanchot notar até que ponto Foucault desenvolve esses temas de forma autônoma: a disjunção ver-falar, que culmina com o livro sobre Raymond Roussel e o texto sobre Magritte, vai acarretar um novo estatuto do visível e do enunciável; o "fala-se" vai animar a teoria do enunciado; a conversão do próximo e do longínquo sobre a linha de Fora, como prova de vida e morte, vai acarretar atos de pensamento próprios a Foucault, a dobra e a desdobra (muito diferentes também de Heidegger), e será enfim a base do processo de subjetivação. *[134]*

VI

— *Após o arquivo ou a análise do saber, Foucault vai descobrir o poder, depois a subjetividade. Que relação existe entre saber e poder, de um lado, e poder e subjetividade, de outro?*

— O poder é precisamente o elemento informal que passa entre as formas do saber, ou por baixo delas. Por isso ele é dito microfísico. Ele é força, e relação de forças, não forma. E a concepção das relações de força em Foucault, prolongando Nietzsche, é um dos pontos mais importantes de seu pensamento. É uma outra dimensão que não a do saber, ainda que o poder e o saber constituam mistos concretamente inseparáveis. Mas toda a questão é: por que Foucault terá necessidade de outra dimensão, por que será que ele vai descobrir a subjetivação como distinta tanto do saber quanto do poder? Então se diz: Foucault retorna ao sujeito, redescobre a noção de sujeito, que ele sempre havia negado. Não é nada disso. Seu pensamento de fato atravessou uma crise, sim, em todos os sentidos, mas foi uma crise criativa e não um arrependimento. A partir de *A vontade de saber* Foucault tem cada vez mais o sentimento de estar se fechando nas relações de poder. E por mais que invoque pontos de resistência como contraposição aos focos de poder, de onde vêm essas resistências? Foucault se pergunta: como transpor a linha, como ultrapassar as próprias relações de força? Ou será que estamos condenados a um face a face com o Poder, seja detendo-o, seja estando submetidos a ele? É num dos textos mais violentos, e também mais cômicos de Foucault, sobre "o homem infame". Foucault leva muito tempo para dar uma resposta. Transpor a linha de força, ultrapassar o poder, isto seria como que curvar a força, fazer com que ela mesma se afete, em vez de afetar outras forças: uma "dobra", segundo Foucault, uma relação da força consigo. *[135]* Trata-se de "duplicar" a relação de forças, de uma relação consigo que nos permita resistir, furtar-nos, fazer a vida ou a morte voltarem-se contra o poder. Foi o que os gregos inventaram, segundo Foucault. Não se trata mais de formas determinadas, como no saber, nem de regras coercitivas, como no poder: trata-se de *regras facultativas* que produzem a existência como obra de arte, regras ao mesmo tempo éticas e estéticas que constituem modos de existência ou estilos de vida (mesmo o suicídio faz parte delas). É o que Nietzsche descobria como a operação artista da vontade de potência, a invenção de novas "possibilidades de vida". Por todo tipo de razões, deve-se evitar falar de um retorno ao sujeito: é que esses processos de subjetivação são inteiramente variáveis, conforme as épocas, e se fazem segundo regras muito diferentes. Eles são tanto mais variáveis já que a todo momento o poder não para de recuperá-los e de submetê-los às relações de força, a menos que renasçam inventando novos modos, indefinidamente. Portanto, tampouco há retorno aos gregos. Um processo de subjetivação, isto é, uma produção de modo de existência, não pode se confundir com um sujeito, a menos que se destitua este de toda interioridade e mesmo de toda identidade. A subjetivação sequer tem a ver com a "pessoa": é uma individuação, particular ou coletiva, que caracteriza um acontecimento (uma hora do dia, um rio, um vento, uma vida...). É um modo intensivo e não um sujeito pessoal. É uma dimensão específica sem a qual não se poderia ultrapassar o saber nem resistir ao poder. Foucault analisará os modos de existência gregos, cristãos, como eles entram em certos saberes, como eles se comprometem com o poder. Mas, neles mesmos, eles são de outra natureza. Por exemplo, a Igreja como poder pastoral não vai parar de querer conquistar os modos de existência cristãos, mas estes não param *[136]* de questionar o poder da Igreja, mesmo antes da Reforma. E conforme a seu método, o que interessa essencialmente a Foucault não é um retorno aos gregos, mas *nós hoje*: quais são nossos modos de existência, nossas possibilidades de vida ou nossos processos de subjetivação; será que temos maneiras de nos constituirmos como "si", e, como diria Nietzsche, maneiras suficientemente "artistas", para além do saber e do poder? Será que somos capazes disso, já que de certa maneira é a vida e a morte que aí estão em jogo?

VII

— *Foucault havia desenvolvido anteriormente o tema da* morte do homem, *que teve tanta repercussão. Ela é compatível com a ideia de uma existência humana criadora?*

— A morte do homem é ainda pior que a questão do sujeito, é aí que os contrassensos sobre o pensamento de Foucault se multiplicaram. Mas os contrassensos nunca são inocentes, são misturas de besteira e má vontade; as pessoas gostam de encontrar contradições num pensador, mais até do que de compreendê-lo. Então elas dizem: como Foucault poderia empreender lutas políticas, se não acreditava no homem, portanto, nos direitos do homem... Na verdade, a morte do homem é um tema bem simples e rigoroso, que Foucault retoma de Nietzsche, mas desenvolve de maneira bastante original. É uma questão de forma e de forças. As forças estão sempre em relação com outras forças. Sendo dadas as forças do homem (por exemplo ter um entendimento, uma vontade...), com que outras forças elas entram em relação, e qual a forma que daí decorre como "composto"? Em *As palavras e as coisas* Foucault mostra que o homem, na Idade Clássica, não é pensado como tal, mas "à imagem" de Deus, precisamente porque suas forças se compõem com forças de infinito. No *[137]* século XIX, ao contrário, essas forças do homem enfrentam forças de finitude, a vida, a produção, a linguagem, de tal maneira que o composto é uma forma-Homem. E assim como essa forma não preexistia, ela não tem nenhuma razão para sobreviver se as forças do homem entrarem ainda em relação com novas forças: o composto será um novo tipo de forma, nem Deus, nem homem. Por exemplo, o homem do século XIX enfrenta a vida, e se compõe com ela como força do carbono. Mas quando as forças do homem se compõem com a do silício, o que acontece, e quais novas formas estão em vias de nascer? Foucault tem dois predecessores, Nietzsche e Rimbaud, aos quais ele acrescenta sua versão, que é esplêndida: que novas relações temos com a vida, com a linguagem? Quais as novas lutas com o Poder? Quando ele chegar aos modos de subjetivação, será uma maneira de continuar com o mesmo problema.

VIII

— No que você chama de "modos de existência", e que Foucault chamava de "estilos de vida", há uma estética da vida; você o lembrou: a vida como obra de arte. Mas também uma ética!

— Sim, a constituição dos modos de existência ou dos estilos de vida não é somente estética, é o que Foucault chama de ética, por oposição à moral. A diferença é esta: a moral se apresenta como um conjunto de regras coercitivas de um tipo especial, que consiste em julgar ações e intenções referindo-as a valores transcendentes (é certo, é errado...); a ética é um conjunto de regras facultativas que avaliam o que fazemos, o que dizemos, em função do modo de existência que isso implica. Dizemos isto, fazemos aquilo: que modo de existência isso implica? *[138]* Há coisas que só se pode fazer ou dizer levado por uma baixeza de alma, uma vida rancorosa ou por vingança contra a vida. Às vezes basta um gesto ou uma palavra. São os estilos de vida, sempre implicados, que nos constituem de um jeito ou de outro. Já era a ideia de "modo" em Espinosa. E será que isso não está presente desde a primeira filosofia de Foucault: o que somos "capazes" de ver e dizer (no sentido do enunciado)? Mas se há nisso toda uma ética, há também uma estética. O estilo, num grande escritor, é sempre também um estilo de vida, de nenhum modo algo pessoal, mas a invenção de uma possibilidade de vida, de um modo de existência. É curioso como às vezes se diz que os filósofos não têm estilo, ou que escrevem mal. Deve ser porque não se os lê. Para ficar no caso da França, Descartes, Malebranche, Maine de Biran, Bergson, mesmo Auguste Comte com seu lado Balzac, são estilistas. Ora, Foucault também se inscreve nessa linhagem, é um grande estilista. O conceito toma nele valores rítmicos, ou de contraponto, como nos curiosos diálogos consigo mesmo com os quais ele termina alguns de seus livros. Sua sintaxe recolhe reflexos, cintilações do visível, mas também se contorce como uma correia, se dobra e se desdobra, ou estala ao ritmo dos enunciados. Depois, nos últimos livros, esse estilo tenderá para uma espécie de apaziguamento, buscando uma linha cada vez mais sóbria, cada vez mais pura...

(*Le Nouvel Observateur*, 23 de agosto de 1986,
entrevista a Didier Eribon)

UM RETRATO DE FOUCAULT
[139]

— *Em que espírito foi escrito esse livro? É uma homenagem a Michel Foucault? Você acha que o pensamento dele não é bem compreendido? Você analisa suas semelhanças e diferenças com ele, e o que pensa dever-lhe? Ou na verdade quer fazer um retrato mental de Foucault?*

— Eu sentia uma verdadeira necessidade de escrever este livro. Quando morre alguém que se ama e admira, às vezes se tem necessidade de lhe traçar o perfil. Não para glorificá-lo, menos ainda para defendê-lo; não para a memória, mas para extrair dele essa semelhança última que só pode vir de sua morte, e que nos faz dizer "é ele". Uma máscara, ou o que ele mesmo chamava um duplo, uma duplicatura. Cada um pode extrair essa semelhança ou essa duplicatura à sua maneira. Mas é ele que se assemelha enfim a si mesmo, ao tornar-se tão dessemelhante de nós todos. A questão não é a dos pontos comuns, ou diferentes, que eu pensava ter com ele. O que eu tinha em comum era necessariamente informe, como um fundo que me permitia falar com ele. Para mim, ele não deixa de ser o maior pensador atual. Pode-se fazer o retrato de um pensamento como se faz o retrato de um homem. Eu quis fazer um retrato de sua filosofia. As linhas ou os traços vêm forçosamente *[140]* de mim, mas eles só são bem-sucedidos se é ele quem vem ocupar o desenho.

— *Em* Diálogos *você escrevia: "Posso falar de Foucault, contar que ele me disse isto ou aquilo, detalhar como o ve-*

jo. Isto não é nada enquanto eu não souber encontrar realmente esse conjunto de sons martelados, de gestos decisivos, de ideias feitas de madeira seca e fogo, de atenção extrema e de clausura súbita, de risos e de sorrisos que sentimos perigosos no instante mesmo em que lhes experimentamos a ternura...". Há algo "perigoso" no pensamento de Foucault, que ao mesmo tempo explicaria as paixões que ele continua suscitando?

— Perigoso, sim, porque há uma violência de Foucault. Ele tinha uma extrema violência controlada, dominada, tornada coragem. Ele tremia de violência em certas manifestações. Ele percebia o intolerável. Talvez este fosse um ponto em comum com Genet. É um homem de paixão, e ele dá ao termo "paixão" um sentido muito preciso. Só se pode pensar sua morte como uma morte violenta, que veio interromper sua obra. E seu estilo, pelo menos até os últimos livros, que conquistaram uma espécie de serenidade, é como um chicote, uma correia, com suas torções e distensões. Paul Veyne faz um retrato de Foucault como guerreiro. Foucault sempre invoca a poeira ou o murmúrio de um combate, e o próprio pensamento lhe aparece como uma máquina de guerra. É que, no momento em que alguém dá um passo fora do que já foi pensado, quando se aventura para fora do reconhecível e do tranquilizador, quando precisa inventar novos conceitos para terras desconhecidas, caem os métodos e as morais, e pensar torna-se, como diz Foucault, um "ato arriscado", uma violência que se exerce primeiro sobre si mesmo. As objeções feitas a um pensador ou mesmo as questões que lhe colocam vêm sempre da margem, e são como *[141]* boias lançadas em sua direção, porém mais para confundi-lo e impedi-lo de avançar do que para ajudá-lo: as objeções vêm sempre dos medíocres e dos preguiçosos. Foucault soube disso melhor que qualquer outro. Melville afirmava: "Se para efeito de argumentação dizemos que ele está louco, então eu preferiria ser louco a ser sensato... gosto de todos os homens que mergulham. Qualquer peixe pode nadar perto da superfície, mas é preciso ser uma grande baleia para descer a cinco milhas ou mais... Desde o começo do mundo, os mergulhadores do pensamento voltam à superfície com os olhos injetados de sangue". Admite-se facilmente que há perigo nos exercícios físicos extremos, mas o pensamento também é um exercício extremo e rarefeito. Desde que se pensa, se enfrenta necessariamente uma linha onde estão em jogo a vida e a morte, a razão e a loucura, e essa linha nos arrasta. Só é possível pensar sobre esta linha de feiticeira, e diga-se, não se é forçosamente perdedor, não se está obrigatoriamente condenado à loucura ou à morte. Foucault sempre foi fascinado por isso, por essa reversão, essa cambalhota perpétua do próximo e do longínquo na morte ou na loucura.

— *Será que a* História da loucura *já implicava tudo, ou há irrupções sucessivas, crises, mudanças de direção?*

— A questão da loucura atravessa toda a obra de Foucault. E sem dúvida ele critica a *História da loucura* por ter acreditado ainda demais numa "experiência da loucura". A uma fenomenologia, ele prefere uma epistemologia, onde a loucura é tomada dentro de um "saber" diferente segundo a formação histórica considerada. Foucault sempre se serviu da história assim, ele viu nela um meio de não enlouquecer. Mas a experiência do pensamento, esta é inseparável dessa linha quebrada que passa pelas diferentes figuras do saber. O pensamento da loucura não é uma experiência *[142]* da loucura, mas do pensamento: ela só se torna loucura no desmoronamento. Dito isto, será que a *História da loucura* já continha em germe, por exemplo, as concepções que Foucault se fará do discurso, do saber, do poder? Certamente não. Com os grandes escritores muitas vezes acontece uma aventura: são felicitados por um livro, admira-se este livro, mas eles mesmos não estão satisfeitos, porque sabem o quanto ainda estão longe do que gostariam, do que procuram, e a respeito do que eles ainda só têm uma ideia obscura. É por isso que eles têm tão pouco tempo a perder em polêmicas, em objeções, em discussões. Creio que o pensamento de Foucault é um pensamento, não que evoluiu, mas que *procedeu por crises*. Não acredito que um pensador possa não ter crises, ele é sísmico demais. Há em Leibniz uma declaração esplêndida: "Depois de ter estabelecido estas coisas, eu pensava entrar no porto, mas quando me pus a meditar sobre a união da alma e do corpo, fui como que lançado de volta ao alto mar". É justamente o que dá aos pensadores uma coerência superior, essa faculdade de partir a linha, de mudar a orientação, de se reencontrar em alto mar, portanto, de descobrir, de inventar. Sem dúvida a *História da loucura* já era a saída de uma crise. Ele desenvolve a partir daí toda uma concepção do saber que conduz a *A arqueologia* (1969), ou seja, à teoria dos enunciados, mas aquela crise já desembocara numa nova crise, a de 68. Para Foucault esse foi um grande período de força e de júbilo, de alegria criadora: *Vigiar e punir* leva a marca disso e é então que ele passa do saber ao poder. Penetra nesse novo domínio que anteriormente ele tinha indicado, assinalado, mas não explorado. Há sim uma radicalização: 68 pôs a nu todas as relações de poder, em toda parte onde se exerciam, isto é, em toda parte. Antes Foucault tinha analisado sobretudo formas, agora ele passa às relações de força subjacentes às formas. Salta *[143]* para dentro do informe, de um elemento que ele mesmo chama de "microfísico". E isso vai até *A vontade de saber*. Mas, depois desse livro, ainda outra crise, muito diferente, mais interior, talvez mais depressiva, mais secreta; o sentimento de estar num impasse? Muitas razões se conjugaram, talvez ainda voltemos a esse ponto, mas tive a impressão que Foucault queria que o deixassem em paz, queria ficar sozinho, com alguns íntimos, afastar-se, ainda que no mesmo lugar, atingir um ponto de ruptura. São impressões, talvez esteja totalmente equivocado.

Aparentemente ele continuava a história da sexualidade; mas isso acontecia sobre uma linha inteiramente diferente: ele descobria formações históricas de longa duração (desde os gregos), enquanto que até então havia se limitado a formações de curta duração (séculos XVII-XIX); reorientava toda sua pesquisa em função do que chamava modos de subjetivação. Não era, de maneira alguma, um retorno ao sujeito; era uma nova criação, uma linha de ruptura, uma nova exploração onde mudavam as relações precedentes com o saber e o poder. Se quiser, uma nova radicalização. Mesmo seu estilo mudava, renunciava às cintilações e aos fulgores e descobria uma linearidade cada vez mais sóbria, cada vez mais pura, quase apaziguada. É que tudo isso não era simplesmente questão de teoria. O pensamento jamais foi questão de teoria. Eram problemas de vida. Era a própria vida. Era a maneira de Foucault sair dessa nova crise: traçando a linha que lhe permitisse sair dela, e estabelecendo novas relações com o saber e o poder. Mesmo que às custas da própria vida. Parece idiota: não foi a descoberta da subjetivação que o matou. E no entanto... "um pouco de possível, senão eu sufoco...". Há algo essencial de um extremo a outro da obra de Foucault: ele sempre tratou de formações históricas (de curta duração, ou, no final, de longa *[144]* duração), mas sempre em relação a nós, hoje. Ele não tinha necessidade de dizê-lo explicitamente em seus livros, era por demais evidente, e deixava para dizê-lo ainda melhor nas entrevistas que dava aos jornais. É por isso que as entrevistas de Foucault fazem parte integralmente de sua obra. *Vigiar e punir* invoca o século XVIII e o XIX, mas é estritamente inseparável da prisão hoje e do grupo de informação que Foucault e Defert criaram depois de 68. As formações históricas só o interessam porque assinalam de onde nós saímos, o que nos cerca, aquilo com o que estamos em vias de romper para encontrar novas relações que nos expressem. O que o interessa realmente é a nossa relação atual com a loucura, nossa relação com as punições, com o poder, com a sexualidade. Não são os gregos, é nossa relação com a subjetivação, nossas maneiras de nos constituirmos como sujeito. Pensar é sempre experimentar, não interpretar, mas experimentar, e a experimentação é sempre o atual, o nascente, o novo, o que está em vias de se fazer. A história não é experimentação; é apenas o conjunto das condições quase negativas que possibilitam a experimentação de algo que escapa à história. Sem a história, a experimentação permaneceria indeterminada, incondicionada, mas a experimentação não é histórica, é filosófica. Foucault é, como ninguém, um filósofo plenamente do século XX; sem dúvida, o único que se desprendeu completamente do século XIX e é por isso que pode falar dele tão bem. É nesse sentido que Foucault colocava sua vida no seu pensamento: a relação com o poder, depois a relação consigo, tudo isso era questão de vida ou morte, de loucura ou de nova razão. A subjetivação não foi para Foucault um retorno teórico ao sujeito, mas a busca prática de um outro modo de vida, de um novo estilo. Isso não se faz *[145]* dentro da cabeça: mas hoje, onde será que aparecem os germes de um novo modo da existência, comunitário ou individual, e em mim, será que existem tais germes? Com certeza é preciso interrogar os gregos, mas apenas porque foram eles, segundo Foucault, que inventaram essa noção, essa prática do modo de vida... Houve uma experiência grega, experiências cristãs etc., mas não são os gregos nem os cristãos que farão a experiência por nós, hoje.

— *Tudo é assim tão trágico no pensamento de Foucault? Não é também um pensamento pleno de humor?*

— Em todo grande escritor você encontra esse nível de humor ou de cômico que coexiste com os outros níveis, não apenas o sério, mas até mesmo o atroz. Há em Foucault uma comicidade universal: não só a comicidade das punições, que constituem as grandes páginas cômicas de *Vigiar e punir*, mas a comicidade das coisas e a das palavras. Foucault riu muito, em sua vida assim como em seus livros. Ele gostava particularmente de Roussel e Brisset, que no fim do século XIX inventava "procedimentos" insólitos para tratar as palavras e as coisas. Ora, o livro de Foucault sobre Roussel (1963) já é como que a versão poética e cômica da teoria dos enunciados que Foucault cria em *A arqueologia* (1969). Roussel toma duas frases que não têm de modo algum o mesmo sentido, e que no entanto diferem muito pouco: "os bandos do velho que pilha" "as bandagens do velho bilhar" ("*les bandes du vieux pillard*" "*les bandes du vieux billard*"), e ele vai suscitar cenas visuais, espetáculos extraordinários para fazer com que uma dessas frases encontre a outra ou se redobre sobre ela. Com outros meios, os de uma etimologia enlouquecida, Brisset suscita as cenas que correspondem à decomposição de uma palavra. Foucault já extrai daí toda uma concepção das relações entre o visível e o enunciável. E o leitor fica impressionado com o fato de que Foucault parece descobrir alguns temas que lembram Heidegger ou Merleau-Ponty: "Visibilidade fora do olhar... O olho deixa as coisas serem vistas pela graça do ser delas...". Dir-se-ia que ele vê em Roussel, sem dizê-lo, um predecessor de Heidegger. *[146]* E é verdade que em Heidegger há também todo um procedimento etimológico próximo da loucura. As páginas de Foucault sobre Roussel me agradam muito, porque eu tinha uma impressão, mais confusa, de uma certa semelhança entre Heidegger e um autor vizinho de Roussel sob certos aspectos, Jarry. Jarry define etimologicamente a patafísica como um remontar para além da metafísica, e a funda explicitamente sobre o visível ou o ser do fenômeno. Ora, para que serve esse deslocamento de Heidegger a Roussel (ou a Jarry)? Serve a Foucault para transformar completamente as relações entre o visível e o enunciável, tais como aparecem através dos "procedimentos": em vez de um acordo ou uma homologia (consonância), há um perpétuo combate entre o que se vê e o que se diz, curtos atracamentos, um corpo a corpo, capturas, porque nunca se diz o que se vê e nunca se vê o que se diz. É entre duas proposições que surge o visível, assim como entre duas coisas surge o enunciado. A intencionalidade cede lugar a todo um teatro, uma série de jogos entre o visível e o enunciável. Um racha o outro. A crítica da fenomenologia por Foucault, é no Raymond Roussel que a encontramos, sem que ele precise dizê-lo.

E depois há o privilégio do "se", em Foucault como em Blanchot: a terceira pessoa, é ela que se deve analisar. Fala-se, vive-se, morre-se. Sim, existem sujeitos: são os grãos dançantes na poeira do visível, e lugares móveis num murmúrio anônimo. O sujeito é sempre uma derivada. Ele nasce e se esvai na espessura do que se diz, do que se vê. Foucault tirará daí uma concepção muito curiosa do "homem infame", uma concepção cheia de uma alegria discreta. É o oposto de Georges Bataille: *[147]* o homem infame não se define por um excesso no mal, mas etimologicamente como o homem comum, o homem qualquer, bruscamente iluminado por um fato corriqueiro, queixa dos vizinhos, presença da polícia, processo... É o homem confrontado ao Poder, intimado a falar e a se mostrar. Ele está ainda mais próximo de Tchekhov que de Kafka. Em Tchekhov há o relato da empregada que estrangula o bebê porque não podia dormir há várias noites, ou do camponês que é processado porque arranca trilhos para reforçar sua vara de pescar. O homem infame é o *Dasein* [o ser-aí]. O homem infame é uma partícula apoderada por um feixe luminoso e uma onda acústica. Pode ser que a "glória" não proceda de maneira diferente: ser captado por um poder, por uma instância do poder que nos faz ver e falar. Houve um momento em que Foucault suportava mal o fato de ser conhecido: o que quer que dissesse, era esperado, para ser elogiado ou criticado, sequer tentavam compreender. Como reconquistar o inesperado? O inesperado é uma condição de trabalho. Ser um homem infame era como um sonho de Foucault, seu sonho cômico, o seu riso: sou um homem infame? Seu texto "A vida dos homens infames" é uma obra-prima.

— *Você diria que também esse artigo exprime uma crise?*

— Sim, totalmente, esse artigo tem vários níveis. O fato é que depois de *A vontade de saber* (1976) Foucault para de publicar livros durante oito anos: ele interrompe a sequência da *História da sexualidade* que no entanto estava programada. Era uma progressão apaixonante, "cruzada das crianças" etc., o que supõe pesquisas muito adiantadas. O que aconteceu naquele momento e durante esses anos? Se de fato houve crise, diversos fatores muito diferentes devem ter pesado ao mesmo tempo: talvez um desânimo vindo de mais longe, *[148]* o fracasso final do movimento das prisões; numa outra escala, a perda de esperanças mais recentes, Irã, Polônia; a maneira com que Foucault suportava cada vez menos a vida social e cultural francesas; quanto ao seu trabalho, o sentimento de um mal-entendido cada vez maior sobre *A vontade de saber*, sobre esse empreendimento da *História da sexualidade*; e por fim, talvez o elemento mais pessoal, a impressão que ele mesmo estava num impasse, que precisava de solidão e força para uma saída que não dizia respeito apenas a seu pensamento, mas também à sua vida. No que consistia o impasse, se ele existia? Foucault tinha analisado até então as formações do saber e os dispositivos do poder; tinha atingido esses mistos de poder-saber nos quais vivemos e falamos. Esse era ainda o ponto de vista de *A vontade de saber*: constituir o *corpus* dos enunciados de sexualidade, nos séculos XIX e XX, e buscar em torno de que focos de poder esses enunciados se constituem, normalizando ou, ao contrário, contestando-os. Nesse sentido, *A vontade de saber* pertence ainda ao método que Foucault soube constituir anteriormente. Mas suponho que ele se depara com a questão: não há nada "além" do poder? Será que ele não está se fechando nas relações de poder, como num impasse? Ele está como que fascinado, lançado de volta àquilo que no entanto ele odeia. Em vão responde a si mesmo que chocar-se contra o poder é o destino do homem moderno (o homem infame) e que é o poder que nos faz ver e falar, ele não consegue se satisfazer, ele precisa de "possível"... Não pode ficar encerrado no que descobriu. Sem dúvida *A vontade de saber* destacava pontos de resistência ao poder; mas o estatuto, a origem, a gênese deles permaneciam vagos. Foucault talvez tivesse o sentimento de que precisava transpor essa linha a qualquer preço, passar para o outro lado, ir mais além do saber-poder. Ainda que fosse preciso reconsiderar todo o *[149]* programa da *História da sexualidade*. E é exatamente isso que ele diz a si mesmo, no belo texto sobre o homem infame: "Sempre a mesma incapacidade de transpor a linha, de passar para o outro lado..., sempre a mesma escolha, do lado do poder, daquilo que ele diz ou faz dizer...". Não que ele repudie a obra anterior. Ao contrário, é toda sua obra anterior que o leva a esse novo enfrentamento. Só os leitores que "acompanharam" Foucault em sua pesquisa podem entender. Por isso é uma bobagem dizer: ele percebeu que tinha errado, teve que reintroduzir o sujeito. Ele nunca reintroduziu o sujeito; só seguiu as exigências colocadas por sua obra: tinha dado conta dos mistos de saber e poder e entrava numa última linha, e era, como Leibniz, "lançado de volta ao alto mar". Não tinha escolha: ou essa nova descoberta ou parar de escrever.

— O que é essa "linha", ou essa relação que não seria mais relação de poder? Pode-se encontrar algum pressentimento disso anteriormente?

— É difícil falar disso. Não é uma linha abstrata, embora ela não forme nenhum contorno. Não está no pensamento mais do que nas coisas, mas está em toda parte onde o pensamento enfrenta algo como a loucura e a vida, algo como a morte. Miller dizia que ela se encontra em qualquer molécula, nas fibras nervosas, nos fios da teia de aranha. Pode ser a terrível linha baleeira da qual fala Melville em *Moby Dick*, que é capaz de nos levar ou nos estrangular quando ela se desenrola. Pode ser a linha da droga para Michaux, o "acelerado linear", a "correia do chicote de um charreteiro em fúria". Pode ser a linha de um pintor, como as de Kandinsky, ou aquela que mata Van Gogh. Creio que cavalgamos tais linhas cada vez que pensamos com *[150]* suficiente vertigem ou que vivemos com bastante força. Essas são as linhas que estão para além do saber (como elas seriam "conhecidas"?), e são nossas relações com essas linhas que estão para além das relações de poder (como diz Nietzsche, quem gostaria de chamar isso de "querer dominar?"). Você diz que elas já aparecem em toda a obra de Foucault? É verdade, é a linha do Fora. O Fora, em Foucault, como em Blanchot, a quem ele toma emprestado esse termo, é o que é mais longínquo que qualquer mundo exterior. Mas também é o que está mais próximo que qualquer mundo interior. Daí, a reversão perpétua do próximo e do longínquo. O pensamento não vem de dentro, mas tampouco espera do mundo exterior a ocasião para acontecer. Ele vem desse Fora, e a ele retorna; o pensamento consiste em enfrentá-lo. A linha do fora é nosso duplo, com toda a alteridade do duplo. Foucault não parou de falar dela, em *Raymond Roussel*, num artigo em homenagem a Blanchot, em *As palavras e as coisas*. Em *O nascimento da clínica* há toda uma passagem sobre Bichat que me parece exemplar quanto ao método ou o procedimento de Foucault: ele faz a análise epistemológica da concepção da morte em Bichat, e é a análise mais séria, a mais brilhante que se possa imaginar. Mas tem-se a impressão que isso não esgota o texto, há nesse texto uma paixão que extrapola o comentário sobre um autor já antigo. É que Bichat sem dúvida propôs a primeira grande concepção moderna da morte, apresentando-a como violenta, plural e coextensiva à vida. Em vez de fazer disso um ponto, como os clássicos, ele faz uma linha, que não cessamos de enfrentar, e que transpomos nos dois sentidos, até o momento em que ela acaba. É isso, enfrentar a linha do Fora. O homem de paixão morre um pouco como o capitão Ahab, ou antes como o parse, perseguindo a baleia. Ele transpõe a linha. Há algo assim *[151]* na morte de Foucault. Para além do saber e do poder, o terceiro lado, o terceiro elemento do "sistema"... No limite, uma aceleração que faz com que já não se possa distinguir a morte e o suicídio.

— *Se essa linha é "terrível", como torná-la vivível? Já é esse o tema de* A dobra: *uma necessidade de dobrá-la?*

— Sim, essa linha é mortal, violenta demais e demasiado rápida, arrastando-nos para uma atmosfera irrespirável. Ela destrói todo pensamento, como a droga à qual Michaux renuncia. Ela não é mais que delírio ou loucura, como na "monomania" do capitão Ahab. Seria preciso ao mesmo tempo transpor a linha e torná-la vivível, praticável, pensável. Fazer dela tanto quanto possível, e pelo tempo que for possível, uma arte de viver. Como se salvar, como se conservar enquanto se enfrenta a linha? É então que aparece um tema frequente em Foucault: é preciso conseguir dobrar a linha, para constituir uma zona vivível onde seja possível alojar-se, enfrentar, apoiar-se, respirar — em suma, pensar. Curvar a linha para conseguir viver sobre ela, com ela: questão de vida ou morte. A linha mesmo não para de se desdobrar a velocidades loucas, e nós, nós tentamos dobrar a linha, para constituir "os seres lentos que somos", atingir o "olho do ciclone", como diz Michaux: as duas coisas ao mesmo tempo.

Essa ideia da dobra (e desdobra) sempre obcecou Foucault: ela aparece não só em seu estilo e sua sintaxe, mas também caracteriza a operação da linguagem no livro sobre Roussel ("dobrar as palavras"), e a operação do pensamento em *As palavras e as coisas*. Dobras e desdobras, é isto sobretudo o que Foucault descobre em seus últimos livros como sendo a operação própria a uma arte de viver (subjetivação).

A dobra ou a desdobra, os leitores de Heidegger conhecem bem essa coisa. É sem dúvida a chave de toda a filosofia de Heidegger ("o aproximar-se do pensamento está *[152]* a caminho da Dobra do ser e do ente"). Em Heidegger há o Aberto, a dobra do ser e do ente como condição de toda visibilidade do fenômeno, a realidade humana como ser das distâncias. Em Foucault, o fora, a dobra da linha do Fora, a realidade humana como ser do Fora. Donde talvez a aproximação que o próprio Foucault faz com Heidegger em suas últimas entrevistas. E, no entanto, o conjunto dos dois pensamentos é tão diferente, os problemas colocados são tão diversos, que a semelhança permanece muito exterior: em Foucault não existe experiência no sentido fenomenológico, mas sempre saberes e poderes que encontram ao mesmo tempo seu limite e seu desvanecimento na linha do Fora. Tenho a impressão que Foucault está mais próximo de Michaux, por vezes até de Cocteau: ele os encontra em função de um problema de vida, de respiração (assim como ele projetava sobre Roussel um tema heideggeriano para melhor transformá-lo). É Cocteau quem explica, num livro póstumo precisamente chamado *De la difficulté d'être* [Da dificuldade de ser], que o sonho opera a velocidades prodigiosas, e desdobra "a dobradura por intermédio da qual a eternidade se nos torna vivível", mas a vigília tem necessidade de dobrar o mundo para poder vivê-lo, e que tudo não seja dado de uma vez. Ou Michaux, cujos títulos e subtítulos podem ter inspirado Foucault, "O espaço do dentro", "O longínquo interior", "A vida nas dobras", "Face aos ferrolhos" (e com os subtítulos de "Poesia para poder", "Fatias de saber"...). É em *L'espace du dedans* que Michaux escreve: "A criança nasce com vinte e duas dobras. Trata-se de desdobrá-las. Então a vida de um homem está completa. Sob essa forma ele morre. Não lhe resta nenhuma dobra a desfazer. Raramente um homem morre sem ter ainda algumas dobras a desfazer. Mas acontece". Esse texto me parece o mais próximo de Foucault. Dobra e desdobra ressoam nele da mesma maneira. Com a diferença de que existem *[153]* quatro principais, ao invés de vinte e duas: a dobra que faz nosso corpo (se somos gregos, ou nossa carne, se somos cristãos; há portanto muitas variações possíveis para cada dobra), a dobra que faz a força quando esta se exerce sobre si mesma ao invés de se exercer sobre outras forças, a dobradura que faz a verdade na sua relação conosco, enfim, o dobramento último, aquele da própria linha do fora para constituir uma "interioridade de espera". Mas é sempre a mesma questão que vai de Roussel a Michaux, e constitui a poesia-filosofia: até onde desdobrar a linha sem cair num vazio irrespirável, na morte, e como dobrá-la sem no entanto perder contato com ela, constituindo um dentro copresente ao fora, aplicável ao fora? São "práticas". Mais do que uma influência mais ou menos secreta de Heidegger sobre Foucault, creio que seria preciso falar de uma convergência entre Hölderlin-Heidegger de um lado, e Roussel ou Michaux-Foucault de outro. Mas eles passam por caminhos completamente diferentes.

— *É isso, a "subjetivação"? Por que este termo?*

— Sim, essa dobradura da linha é exatamente o que Foucault chama, enfim, de "processo de subjetivação", quando se põe a estudá-la por si mesma. Compreenderemos melhor se virmos por que, nos seus dois últimos livros, ele faz uma homenagem aos gregos. É uma homenagem mais nietzschiana que heideggeriana, e sobretudo é uma visão muito clara e original dos gregos: os gregos inventaram, em política (e em outros campos), a relação de poder entre homens livres: homens livres que governam homens livres. Por conseguinte, não basta que a força se exerça sobre outras forças, ou sofra o efeito de outras forças, também é preciso que ela se exerça sobre si mesma: será digno de governar os outros aquele que adquiriu domínio de si. Curvando sobre si a *[154]* força, colocando a força numa relação consigo mesma, os gregos inventam a subjetivação. Não é mais o domínio das regras codificadas do saber (relação entre formas), nem o das regras coercitivas do poder (relação da força com outras forças), são regras de algum modo *facultativas* (relação a si): o melhor será aquele que exercer um poder sobre si mesmo. Os gregos inventam o modo de existência estético. É isso a subjetivação: dar uma curvatura à linha, fazer com que ela retorne sobre si mesma, ou que a força afete a si mesma. Teremos então os meios de viver o que de outra maneira seria invivível. O que Foucault diz é que só podemos evitar a morte e a loucura se fizermos da existência um "modo", uma "arte". É idiota dizer que Foucault descobre ou reintroduz um sujeito oculto depois de o ter negado. Não há sujeito, mas uma produção de subjetividade: a subjetividade deve ser produzida, quando chega o momento, justamente porque não há sujeito. E o momento chega quando transpomos as etapas do saber e do poder; são essas etapas que nos forçam a colocar a nova questão, não se podia colocá-la antes. A subjetividade não é de modo algum uma formação de saber ou uma função de poder que Foucault não teria visto anteriormente; a subjetivação é uma operação artista que se distingue do saber e do poder, e não tem lugar no interior deles. A esse respeito Foucault é nietzschiano, e descobre um querer-artista sobre a linha última. Não se deve acreditar que a subjetivação, isto é, a operação que consiste em dobrar a linha do fora, seja simplesmente uma maneira de se proteger, de se abrigar. Ao contrário, é a única maneira de enfrentar a linha e de cavalgá-la: talvez se vá à morte, ao suicídio, mas, como diz Foucault numa estranha conversa com Schroeter, o suicídio tornou-se então uma arte que toma toda a vida. *[155]*

— *É contudo um retorno aos gregos? E "subjetivação" não seria um termo ambíguo que reintroduz ainda assim um sujeito?*

— Não, com certeza não há retorno aos gregos. Foucault detestava os retornos. Ele só falava do que vivia: o domínio de si, ou melhor, a produção de si, é uma evidência em Foucault. O que ele diz é que os gregos "inventaram" a subjetivação, e isso porque seu regime, a rivalidade entre os homens livres, o permitia (os jogos, a eloquência, o amor... etc.). Mas os processos de subjetivação são extraordinariamente diversos: os modos cristãos são totalmente diferentes do modo grego, e não só com a Reforma, mas desde o cristianismo primitivo a produção de subjetividade, individual ou coletiva, toma todo tipo de caminho. É preciso lembrar-se das páginas de Renan sobre a nova estética da existência nos cristãos: um modo de existência estética com a qual Nero colabora à sua maneira, que depois encontrará em Francisco de Assis sua mais alta expressão. Enfrentamento com a loucura, com a morte. O que conta, para Foucault, é que a subjetivação se distingue de toda moral, de todo código moral: ela é ética e estética, por oposição à moral que participa do saber e do poder. Por isso há uma moral cristã, mas também uma ética-estética cristã, e entre as duas todo tipo de lutas ou compromissos. Diríamos o mesmo hoje: qual é nossa ética, como produzimos uma existência artista, quais são nossos processos de subjetivação, irredutíveis a nossos códigos morais? Em que lugares e como se produzem novas subjetividades? Existe algo a esperar das comunidades atuais? Embora Foucault remonte aos gregos, o que lhe interessa em *O uso dos prazeres*, bem como em seus outros *[156]* livros, é o que se passa, o que somos e fazemos hoje: próxima ou longínqua, uma formação histórica só é analisada pela sua diferença conosco, e para delimitar essa diferença. Nós nos damos um corpo, mas qual é a diferença com o corpo grego, a carne cristã? A subjetivação é a produção dos modos de existência ou estilos de vida.

Como é possível ver uma contradição entre o tema da "morte do homem" e o das subjetivações artistas? Ou entre a recusa da moral e a descoberta da ética? Há uma mudança de problema, nova criação. O fato de que a subjetividade seja produzida, que seja um "modo", deveria bastar justamente para persuadir-nos que o termo deve ser tomado com muita precaução. Foucault diz: "uma arte de si mesmo que seria totalmente o contrário de si mesmo...". Se existe sujeito, é um sujeito sem identidade. A subjetivação como processo é uma individuação, pessoal ou coletiva, de um ou de vários. Ora, existem muitos tipos de individuação. Há individuações do tipo "sujeito" (é você..., sou eu...), mas há também individuações de tipo acontecimento, sem sujeito: um vento, uma atmosfera, uma hora do dia, uma batalha... Não é certeza que uma vida, ou uma obra de arte, seja individuada como um sujeito, pelo contrário. O próprio Foucault, não o apreendíamos exatamente como uma pessoa. Mesmo em ocasiões insignificantes, quando entrava num aposento, era mais como uma mudança de atmosfera, uma espécie de acontecimento, um campo elétrico ou magnético, como preferir. Isso não excluía de modo algum a suavidade ou o bem-estar, mas não era da ordem da pessoa. Era um conjunto de intensidades. Aborrecia-o às vezes ser assim, ou provocar esse efeito. Mas toda sua obra também se alimentava disso. O visível, para ele, são os reflexos, as cintilações, os fulgores, efeitos de *[157]* luz. A linguagem é um imenso "há", na terceira pessoa, ou seja, o oposto da pessoa: uma linguagem intensiva, que constitui seu estilo. Ainda na conversa com Schroeter, ele desenvolve uma oposição entre o "amor" e a "paixão", e se apresenta a si mesmo como um ser de paixão, e não de amor. É um texto extraordinário. Justamente por ser uma conversação improvisada, Foucault não tenta dar um estatuto filosófico a essa distinção. Ele fala disso num nível imediato, vital. A distinção não é de modo algum entre a constância e a inconstância. Nem entre a homossexualidade e a heterossexualidade, que no entanto é o tema desse texto. É antes a distinção entre dois tipos de individuação: um, o amor, pelas pessoas; o outro, pela intensidade, como se a paixão diluísse as pessoas, não no indiferenciado, mas num campo de intensidades variáveis e contínuas sempre implicadas umas nas outras ("era um estado sempre móvel, mas que não vai em direção a um ponto dado, há momentos fortes e momentos fracos, momentos em que isso é levado à incandescência, em que isso flutua, é uma espécie de estado instável que se prolonga por razões obscuras, talvez por inércia; em última análise, procura manter-se e desaparecer... já não faz sentido ser si mesmo..."). O amor é um estado e uma relação de pessoas, de sujeitos. Mas a paixão é um acontecimento subpessoal que pode durar o tempo de uma vida ("vivo há dezoito anos num estado de paixão em relação a alguém, por alguém"), um campo de intensidades que individua sem sujeito. Tristão e Isolda, talvez seja o amor. Mas alguém me dizia a propósito desse texto de Foucault: Catherine e Heathcliff, em *O morro dos ventos uivantes*, é paixão, pura paixão, não amor. De fato, uma terrível fraternidade de alma, algo que não é mais *[158]* inteiramente humano (quem é ele? Um lobo...). É muito difícil expressar, fazer sentir uma distinção nova nos estados afetivos. Chegamos agora à obra interrompida de Foucault. Ele talvez tivesse dado a essa distinção um alcance filosófico idêntico à vida. Seria preciso que extraíssemos daí ao menos uma grande prudência sobre o que ele chama "modo de subjetivação". Tais modos comportam efetivamente individuações sem sujeito. Talvez seja o essencial. E a paixão, o estado de paixão, talvez seja dobrar a linha do fora, torná-la vivível, saber respirar. Todos que se entristecem com a morte de Foucault talvez tenham uma alegria, que essa obra tão grande se interrompa com um apelo à paixão.

— *Em Foucault, assim como em Nietzsche, encontramos uma crítica da verdade. Tanto num como no outro existe um mundo de capturas, atracamentos, lutas. Mas dir-se-ia que em Foucault tudo é mais frio, mais metálico, como nas grandes descrições clínico-pictóricas...*

— Uma inspiração nietzschiana está presente em Foucault. Um exemplo de detalhe: Nietzsche se felicita por ter sido o primeiro a fazer uma psicologia do sacerdote, e de ter analisado a natureza de seu poder (o sacerdote trata a comunidade como um "rebanho", e a dirige inoculando nela o ressentimento e a má consciência). Foucault redescobre o tema de um poder "pastoral", mas lança a análise numa outra direção: define-o como "individuante", ou seja, como querendo apropriar-se dos mecanismos de individuação dos membros do rebanho. Em *Vigiar e punir* ele tinha mostrado como o poder político, no século XVIII, tornara-se individuante, graças às "disciplinas"; mas, finalmente, ele descobre no poder pastoral a origem desse movimento. Você tem razão, o vínculo essencial de *[159]* Foucault com Nietzsche é uma crítica da verdade compreendida do seguinte modo: qual é a "vontade" de verdade suposta por um discurso "verdadeiro" e que esse discurso só pode ocultar? Em outros termos, a verdade não supõe um método para ser descoberta, mas procedimentos, mecanismos e processos para querê-la. Temos sempre as verdades que merecemos, em função dos procedimentos de saber (em especial dos procedimentos linguísticos), dos mecanismos de poder, dos processos de subjetivação ou de individuação de que dispomos. Por isso, para descobrir diretamente a vontade de verdade, é preciso imaginar discursos não verdadeiros, que se confundem com seus próprios procedimentos, tais como os de Roussel ou de Brisset: sua não-verdade será igualmente uma verdade selvagem.

Há três grandes encontros de Foucault com Nietzsche. O primeiro é a concepção da força. O poder, segundo Foucault, como a potência para Nietzsche, não se reduz à violência, isto é, à relação da força com um ser ou um objeto; consiste na relação da força com outras forças que ela afeta, ou mesmo que a afetam (incitar, suscitar, induzir, seduzir etc.: são afectos). Em segundo lugar, a relação das forças com a forma: toda forma é um composto de forças. É o que já aparece nas grandes descrições pictóricas de Foucault. Porém, ainda mais, é todo o tema da morte do homem em Foucault, e seu vínculo com o super-homem de Nietzsche. É que as forças do homem não bastam por si só para constituir uma forma dominante onde o homem possa alojar-se. É preciso que as forças do homem (ter um entendimento, uma vontade, uma imaginação etc.,) se combinem com outras forças; então uma grande forma nascerá desta combinação, mas tudo depende da natureza dessas outras forças com as quais estas do homem se associam. A forma que decorrerá daí *[160]* não será necessariamente uma forma humana; poderá ser uma forma animal da qual o homem será apenas um avatar, uma forma divina da qual ele será o reflexo, a forma de um Deus único do qual o homem será apenas uma limitação (assim, no século XVII, o entendimento humano como limitação de um entendimento infinito). Significa dizer que uma forma-Homem só aparece em condições muito especiais e precárias: é o que Foucault analisa, em *As palavras e as coisas*, como a aventura do século XIX, em função das novas forças com as quais as do homem se combinam naquele momento. Ora, hoje todo mundo diz que o homem entra em relação ainda com outras forças (o cosmos no espaço, as partículas na matéria, o silício na máquina...): uma nova forma nasce daí, que já não é mais a do homem... Em Foucault, como em Nietzsche, jamais um tema tão simples e rigoroso, tão grandioso, suscitou tantas reações estúpidas. Enfim, o terceiro encontro diz respeito aos processos de subjetivação: mais uma vez, não é de modo algum a constituição de um sujeito, mas a criação de modos de existência, o que Nietzsche chamava a invenção de novas possibilidades de vida, e cuja origem ele já encontrava nos gregos. Nietzsche via nessa invenção a última dimensão da vontade de potência, o querer-artista. Foucault marcará essa dimensão pela maneira com que a força se afeta ou se dobra: ele poderá retomar a história dos gregos ou dos cristãos orientando-a nesta via. Pois aí está o essencial: Nietzsche dizia que um pensador sempre atira uma flecha, como no vazio, e que um outro pensador a recolhe, para enviá-la numa outra direção. É o caso de Foucault. O que recebe, Foucault o transforma profundamente. Ele não para de criar. Você diz que ele é mais metálico que Nietzsche. Talvez ele tenha trocado até o material da flecha. É musicalmente que se deve *[161]* compará-los, ao nível de seus instrumentos respectivos (procedimentos, mecanismos e processos): Nietzsche passou por Wagner, mas para sair dele. Foucault passou por Webern, mas talvez seja de Varèse que ele está mais próximo, sim, metálico e estridente, o apelo aos instrumentos de nossa "atualidade".

(Entrevista a Claire Parnet, 1986)

IV
FILOSOFIA

OS INTERCESSORES
[165]

Se hoje em dia o pensamento anda mal é porque, sob o nome de modernismo, há um retorno às abstrações, reencontra-se o problema das origens, tudo isso... De pronto são bloqueadas todas as análises em termos de movimentos, de vetores. É um período bem fraco, de reação. No entanto, a filosofia acreditava ter acabado com o problema das origens. Não se tratava mais de partir nem de chegar. A questão era antes: o que se passa "entre"? E é exatamente a mesma coisa para os movimentos físicos.

Os movimentos mudam, no nível dos esportes e dos costumes. Por muito tempo viveu-se baseado numa concepção energética do movimento: há um ponto de apoio, ou então se é fonte de um movimento. Correr, lançar um peso etc.: é esforço, resistência, com um ponto de origem, uma alavanca. Ora, hoje se vê que o movimento se define cada vez menos a partir de um ponto de alavanca. Todos os novos esportes — surfe, windsurfe, asa delta — são do tipo: inserção numa onda preexistente. Já não é uma origem enquanto ponto de partida, mas uma maneira de colocação em órbita. O fundamental é como se fazer aceitar pelo movimento de uma grande vaga, de uma coluna de ar ascendente, "chegar entre" em vez de ser origem de um esforço.

E no entanto, em filosofia se volta aos valores *[166]* eternos, à ideia do intelectual guardião dos valores eternos. É o que Benda já criticava em Bergson: ser traidor da sua própria classe, a classe dos clérigos, ao tentar pensar o movimento. Hoje são os direitos do homem que exercem a função de valores eternos. É o estado de direito e outras noções, que, todos sabem, são muito abstratas. E é em nome disso que se breca todo pensamento, que todas as análises em termos de movimentos são bloqueadas. Contudo, se as opressões são tão terríveis é porque impedem os movimentos, e não porque ofendem o eterno. Sempre que se está numa época pobre, a filosofia se refugia na reflexão "sobre"... Se ela mesma nada cria, o que poderia fazer, senão refletir sobre? Então reflete sobre o eterno, ou sobre o histórico, mas já não consegue ela própria fazer o movimento.

O filósofo não é reflexivo, é um criador

De fato, o que importa é retirar do filósofo o direito à reflexão "sobre". O filósofo é criador, ele não é reflexivo.

Censuram-me por retomar análises de Bergson. Com efeito, é um recorte muito novo que Bergson faz, ao distinguir a percepção, a afecção e a ação como três espécies do movimento. É sempre novo porque me parece que isto nunca foi bem assimilado, e faz parte do que é mais difícil e mais belo no pensamento de Bergson. Ora, a aplicação desta análise ao cinema se faz por si só: é ao mesmo tempo que o cinema se inventa e que o pensamento de Bergson se forma. A introdução do movimento no conceito se faz exatamente na mesma época em que se introduz o movimento na imagem. Bergson é um *[167]* dos primeiros casos de automovimento do pensamento. Porque não basta dizer: os conceitos se movem. É preciso ainda construir conceitos capazes de movimentos intelectuais. Do mesmo modo, não basta fazer sombras chinesas, é preciso construir imagens capazes de automovimento.

Em meu primeiro livro sobre cinema, tinha considerado a imagem cinematográfica como essa imagem que adquire um automovimento. No segundo livro, considero a imagem cinematográfica na sua aquisição de uma autotemporalidade. Não significa de modo algum tomar o cinema no sentido de uma reflexão sobre, e sim tomar o domínio onde se efetua realmente o que me interessa: em que condições pode haver um automovimento ou uma autotemporalização da imagem, e qual foi a evolução desses dois fatores desde o fim do século XIX. Pois quando se faz um cinema fundado sobre o tempo, e não mais sobre o movimento, é evidente que há mudança de natureza em relação à primeira época. E só o cinema pode ser o laboratório que nos torna isso sensível, na medida em que, precisamente, o movimento e o tempo tornaram-se constitutivos da própria imagem.

O primeiro estágio do cinema, portanto, é o automovimento da imagem. Aconteceu de isso se realizar num cinema de narração. Mas não era obrigatório. Há um manuscrito de Noël Burch essencial sobre este ponto: a narração não estava compreendida no cinema desde o início. O que levou a imagem-movimento, isto é, o automovimento da imagem a produzir narração, foi o esquema sensório-motor. O cinema não é narrativo por natureza: ele torna-se narrativo quando toma por objeto o esquema sensório-motor. A saber: um personagem na tela percebe, sente, reage. Isto supõe muitas crenças: o herói está em tal situação, ele reage, o herói sempre saberá como *[168]* reagir. Isso supõe uma certa concepção do cinema. Por que ele tornou-se americano, hollywoodiano? Por uma razão simples: era a América que tinha a propriedade desse esquema. Tudo isso terminou com a Segunda Guerra. De repente, as pessoas já não acreditam tanto que se possa reagir a essas situações. O pós-guerra os ultrapassa. E vem o neorrealismo italiano, que apresenta pessoas colocadas em situações que já não podem mais se prolongar em reações, em ações. Nenhuma reação possível, será que isso quer dizer que tudo vai ser neutro? Não, de modo algum. Haverá situações ópticas e sonoras puras, que engendrarão modos de compreensão e de resistência de um tipo inteiramente novo. E isto será o neorrealismo, a *nouvelle vague*, o cinema americano que rompe com Hollywood.

O movimento com certeza vai continuar presente na imagem, mas com a aparição de situações ópticas e sonoras puras, liberando imagens-tempo, não é mais o movimento que conta, ele só está ali a título de índex. As imagens-tempo não significam de modo algum o antes e o depois, a sucessão. A sucessão existia desde o início como lei da narração. A imagem-tempo não se confunde com o que se passa no tempo, são novas formas de coexistência, de colocação em série, de transformação...

A transformação do padeiro

O que me interessa são as relações entre as artes, a ciência e a filosofia. Não há nenhum privilégio de uma destas disciplinas em relação a outra. Cada uma delas é criadora. O verdadeiro objeto da ciência é criar funções, o verdadeiro objeto da arte é criar agregados sensíveis e o objeto da filosofia, criar conceitos. A partir daí, se nos damos essas grandes *[169]* rubricas, por mais sumárias que sejam — função, agregado, conceito —, podemos formular a questão dos ecos e das ressonâncias entre elas. Como é possível, sobre linhas completamente diferentes, com ritmos e movimentos de produção inteiramente diversos — como é possível que um conceito, um agregado e uma função se encontrem?

Primeiro exemplo: em matemática existe um tipo de espaço chamado espaço riemanniano. Matematicamente muito bem definido, com relação a funções, esse tipo de espaço implica a constituição de pequenos pedaços vizinhos cuja ligação pode ser feita de infinitas maneiras, o que permitiu, entre outras, a teoria da relatividade. Agora, se tomo o cinema moderno, constato que depois da guerra aparece um tipo de espaço que procede por vizinhanças, de modo que as conexões de um pequeno pedaço com outro se fazem de uma infinidade de maneiras possíveis e não são predeterminadas. São espaços desconexos. Se digo: é um espaço riemanniano, isto parece uma afirmação apressada, e, no entanto, de uma certa maneira está exato. Não se trata de dizer: o cinema faz o que Riemann fez. Mas se tomamos unicamente esta determinação de espaço: vizinhanças ligadas de uma infinidade de maneiras possíveis, vizinhanças visuais e sonoras ligadas de maneira tátil, então é um espaço de Bresson. Claro, Bresson não é Riemann, mas ele faz no cinema a mesma coisa que se produziu na matemática, há um eco.

Um outro exemplo: há na física algo que me interessa muito, analisado por Prigogine e Stengers e que se chama "transformação do padeiro". Toma-se um quadrado, estica-se-o num retângulo, corta-se o retângulo em dois, assenta-se uma parte do retângulo sobre a outra, modifica-se constantemente o quadrado reesticando-o, é a operação do masseiro. Ao cabo de um certo número de transformações, dois pontos *[170]* estarão fatalmente em duas metades opostas, por mais próximos que tenham estado no quadrado original. Isto vem a ser objeto de todo um cálculo, e Prigogine, em função de sua física probabilística, lhe atribui uma grande importância.

A respeito disso, passo a Resnais. Em seu filme *Eu te amo, eu te amo*, vemos um herói transportado a um instante de sua vida, e esse instante será retomado no interior de conjuntos diferentes a cada vez. Como lençóis de tempo que serão perpetuamente remexidos, modificados, redistribuídos, de tal modo que o que está próximo num lençol estará, ao contrário, muito distante no outro. É uma concepção do tempo muito surpreendente, cinematograficamente bem curiosa e que faz eco à "transformação do padeiro". A ponto de não me parecer chocante afirmar: Resnais está próximo de Prigogine, assim como Godard, por outras razões, está próximo de Thom. Não se trata de dizer: Resnais imita Prigogine, e Godard copia Thom. Mas de constatar que entre criadores científicos de funções e criadores cinematográficos de imagens existem semelhanças extraordinárias. E isso vale igualmente para os conceitos filosóficos, pois existem conceitos diferenciados desses espaços.

Assim, a filosofia, a arte e a ciência entram em relações de ressonância mútua e em relações de troca, mas a cada vez por razões intrínsecas. É em função de sua evolução própria que elas percutem uma na outra. Nesse sentido, é preciso considerar a filosofia, a arte e a ciência como espécies de linhas melódicas estrangeiras umas às outras e que não cessam de interferir entre si. A filosofia não tem aí nenhum pseudoprimado de reflexão, e por conseguinte nenhuma inferioridade de criação. Criar conceitos não é menos difícil que criar novas combinações visuais, sonoras, ou criar funções científicas. O que é preciso ver é que as interferências entre linhas não dependem da vigilância *[171]* ou da reflexão mútua. Uma disciplina que se desse por missão seguir um movimento criador vindo de outro lugar abandonaria ela mesma todo papel criador. O importante nunca foi acompanhar o movimento do vizinho, mas fazer seu próprio movimento. Se ninguém começa, ninguém se mexe. As interferências também não são trocas: tudo acontece por dom ou captura.

O essencial são os intercessores. A criação são os intercessores. Sem eles não há obra. Podem ser pessoas — para um filósofo, artistas ou cientistas; para um cientista, filósofos ou artistas — mas também coisas, plantas, até animais, como em Castañeda. Fictícios ou reais, animados ou inanimados, é preciso fabricar seus próprios intercessores. É uma série. Se não formamos uma série, mesmo que completamente imaginária, estamos perdidos. Eu preciso de meus intercessores para me exprimir, e eles jamais se exprimiriam sem mim: sempre se trabalha em vários, mesmo quando isso não se vê. E mais ainda quando é visível: Félix Guattari e eu somos intercessores um do outro.

A fabricação de intercessores no interior de uma comunidade aparece bem no cineasta canadense Pierre Perrault: eu consegui me dar intercessores, e é assim que posso dizer o que tenho a dizer. Perrault pensa que, se falar sozinho, mesmo inventando ficções, forçosamente terá um discurso de intelectual, não poderá escapar ao "discurso do senhor ou do colonizador", um discurso preestabelecido. O que é preciso é pegar alguém que esteja "fabulando", em "flagrante delito de fabular". Então se forma, a dois ou em vários, um discurso de minoria. Reencontramos aqui a função da fabulação bergsoniana... Pegar as pessoas em flagrante delito de fabular é captar o movimento de constituição de um povo. Os povos não preexistem. *[172]* De certa maneira, o povo é o que falta, como dizia Paul Klee. Será que existia um povo palestino? Israel diz que não. Sem dúvida existia um, mas isso não é o essencial. Pois, a partir do momento em que os palestinos são expulsos de seu território, na medida em que resistem, eles entram num processo de constituição de um povo. Isto corresponde exatamente ao que Perrault chama de flagrante delito de fabular. Não existe povo que não se constitua assim. Então, às ficções pré-estabelecidas que remetem sempre ao discurso do colonizador, trata-se de opor o discurso de minoria, que se faz com intercessores.

Essa ideia de que a verdade não é algo preexistente, a ser descoberto, mas que deve ser criada em cada domínio, é evidente nas ciências, por exemplo. Até na física, não há verdade que não suponha algum sistema simbólico, mesmo que sejam só coordenadas. Não existe verdade que não "falseie" ideias preestabelecidas. Dizer "a verdade é uma criação" implica que a produção da verdade passa por uma série de operações que consistem em trabalhar uma matéria, uma série de falsificações no sentido literal. Meu trabalho com Guattari: cada um é o falsário do outro, o que quer dizer que cada um compreende à sua maneira a noção proposta pelo outro. Forma-se uma série refletida, de dois termos. Não está descartada uma série de vários termos, ou séries complicadas, com bifurcações. Essas potências do falso é que vão produzir o verdadeiro, é isso os intercessores...

A esquerda precisa de intercessores

Digressão política. De um regime socialista, muita gente esperava um novo tipo de discurso. Um discurso muito próximo dos movimentos reais e, por conseguinte, capaz de conciliar esses movimentos, constituindo *[173]* os agenciamentos compatíveis com eles. A Nova Caledônia, por exemplo. Quando Pisani disse: "De qualquer maneira haverá independência", já era um novo tipo de discurso. O que significava: em vez de fingir ignorar os movimentos reais para fazer deles objeto de negociações, se vai reconhecer, de imediato, o ponto último, e a negociação se fará da perspectiva desse ponto último admitido de antemão. Serão negociados os modos, os meios, a velocidade. Donde as recriminações da direita; para ela, velho método, sobretudo não se deve falar em independência, — mesmo sabendo que ela é inevitável —, pois trata-se de fazer dela objeto de uma dura negociação. Creio que as pessoas de direita não têm ilusões, elas não são mais bobas que outras, mas sua técnica é opor-se ao movimento. É a mesma coisa que a oposição a Bergson em filosofia, tudo isso é parecido. Esposar o movimento ou então brecá-lo: politicamente, duas técnicas de negociação absolutamente diferentes. Por parte da esquerda, isso implica uma nova maneira de falar. A questão não é tanto convencer, mas ser claro. Ser claro é impor os "dados" não só de uma situação, mas de um problema. Tornar visíveis coisas que não o seriam em outras condições. Sobre o problema da Nova Caledônia, disseram-nos que em determinado momento esse território foi tratado como uma colônia de povoamento, de modo que os nativos canacas viraram minoria em seu próprio território. A partir de que data? Em que ritmo? Quem fez isso? A direita recusará essas questões. Se elas têm fundamento, ao determinar os dados exprime-se um problema que a direita quer ocultar. Porque uma vez colocado o problema, ele não pode mais ser eliminado, e a própria direita terá que mudar de discurso. Então o papel da esquerda, esteja ou não no poder, é descobrir um tipo de problema que a direita quer esconder a qualquer custo. *[174]*

Infelizmente, a esse respeito parece que se pode falar de uma verdadeira impotência para informar. Há algo que certamente isenta bastante a esquerda de culpa: e é que na França as corporações de funcionários e responsáveis sempre foram de direita. De modo que, mesmo de boa-fé, mesmo jogando o jogo, eles não podem mudar seu modo de pensar nem seu modo de ser.

Os socialistas não tinham as pessoas para transmitir e sequer para elaborar suas informações, sua maneira de colocar os problemas. Eles deveriam ter formado circuitos paralelos, circuitos adjacentes. Teriam precisado dos intelectuais como intercessores. Mas tudo que se fez nessa direção foram contatos amigáveis, porém muito vagos. Não nos foi passado o estado mínimo das questões. Tomo três exemplos muito diversos: o cadastro da Nova Caledônia talvez seja conhecido em revistas especializadas, mas não se fez dele uma matéria pública. Para o problema do ensino, deixam crer que o ensino privado é o ensino católico; nunca consegui saber qual é a proporção do laico no ensino privado. Outro exemplo: desde que a direita reconquistou um grande número de prefeituras, foram suprimidos os créditos para todo tipo de empreendimentos culturais, às vezes grandes, mas frequentemente também pequenos, bem locais. E que sejam numerosos e pequenos é tanto mais interessante; mas não há meio de obter uma lista detalhada. Esse gênero de problema não existe para a direita, porque ela tem os intercessores já prontos, diretos, diretamente dependentes. Mas a esquerda precisa de intercessores indiretos ou livres, é um outro estilo, com a condição de que ela os possibilite. O que foi desvalorizado por causa do Partido Comunista sob o nome ridículo de "companheiros de estrada", é algo de que a esquerda realmente precisa, porque ela precisa que as pessoas pensem. *[175]*

O complô dos imitadores

Como definir hoje uma crise da literatura? O regime dos *best-sellers* é a alta rotatividade. Muitos livreiros já tendem a imitar as lojas de discos, que só aceitam produtos repertoriados por um *top-clube* ou um *hit parade*. É este o sentido do programa *Apostrophes*. A alta rotatividade constitui necessariamente um mercado do esperado: mesmo o "audacioso", o "escandaloso", o estranho etc., são moldados segundo as formas previstas do mercado. As condições da criação literária, que só podem se liberar no inesperado, na rotação lenta e na difusão progressiva, são frágeis. Os Beckett ou os Kafka do futuro, que justamente não se assemelham nem a Beckett nem a Kafka, correm o risco de não encontrar editor, sem que ninguém o perceba por definição. Como diz Lindon, "não se nota a ausência de um desconhecido". A URSS perdeu sua literatura sem que ninguém o percebesse. Será possível felicitar-se pela progressão quantitativa do livro e pelo aumento das tiragens: os jovens escritores serão moldados num espaço literário que não lhes deixará a possibilidade de criar. Surge um romance padrão monstruoso, feito de uma imitação de Balzac, de Stendhal, de Céline, de Beckett ou de Duras, pouco importa. Ou melhor, Balzac mesmo é inimitável, Céline é inimitável: são novas sintaxes, "inesperados". O que se imita é já sempre uma cópia. Os imitadores imitam-se entre si, de onde sua força de propagação, e a impressão de que fazem melhor que o modelo, pois conhecem a maneira ou a solução.

É terrível o que acontece em *Apostrophes*. É um programa de grande força técnica, a organização, os enquadramentos. Mas é também o estado zero da crítica literária, a literatura tornada espetáculo de variedades. Pivot, seu apresentador, nunca escondeu que aquilo de que realmente gostava era *[176]* o futebol e a gastronomia. A literatura vira um jogo televisionado. O verdadeiro problema dos programas na televisão é a invasão dos jogos. É inquietante, afinal, que exista um público entusiasta, persuadido de que participa de um empreendimento cultural ao ver dois homens rivalizando-se para formar uma palavra com nove letras. Acontecem coisas estranhas, sobre as quais Rossellini, o cineasta, disse tudo. Escutem bem: "O mundo de hoje é muito inutilmente cruel. Crueldade é violar a personalidade de alguém, é colocá-lo em uma condição tal que chegue a uma confissão total e gratuita. Se fosse uma confissão visando a um fim determinado eu o aceitaria, mas é o exercício de um *voyeur*, de um torpe, reconheçamos, é cruel. Acredito firmemente que a crueldade é sempre uma manifestação de infantilismo. Toda a arte de hoje torna-se a cada dia mais infantil. Cada um tem o desejo louco de ser o mais infantil possível. Não digo ingênuo: infantil... Hoje a arte é ou a queixa ou a crueldade. Não há outra medida: ou queixa-se, ou se faz um exercício absolutamente gratuito de pequena crueldade. Tome por exemplo esta especulação (é preciso chamá-la pelo nome) que se faz sobre a incomunicabilidade, sobre a alienação, não encontro nela nenhuma ternura, mas uma complacência enorme... E isto, já lhe disse, me levou a não fazer mais cinema". Primeiro isto deveria levá-lo a não dar mais entrevistas. A crueldade e o infantilismo são uma prova de força mesmo para quem se compraz com isso, e se impõem até mesmo a quem gostaria de lhes escapar.

O casal transborda

Às vezes se age como se as pessoas não pudessem se exprimir. Mas de fato, elas não param de se exprimir. *[177]* Os casais malditos são aqueles em que a mulher não pode estar distraída ou cansada sem que o homem diga: "O que você tem? Fala...", e o homem sem que a mulher... etc. O rádio, a televisão fizeram o casal transbordar, dispersaram-no por toda parte, e estamos trespassados de palavras inúteis, de uma quantidade demente de falas e imagens. A besteira nunca é muda nem cega. De modo que o problema não é mais fazer com que as pessoas se exprimam, mas arranjar-lhes vacúolos de solidão e de silêncio a partir dos quais elas teriam, enfim, algo a dizer. As forças repressivas não impedem as pessoas de se exprimir, ao contrário, elas as forçam a se exprimir. Suavidade de não ter nada a dizer, direito de não ter nada a dizer; pois é a condição para que se forme algo raro ou rarefeito, que merecesse um pouco ser dito. Do que se morre atualmente não é de interferências, mas de proposições que não têm o menor interesse. Ora, o que chamamos de sentido de uma proposição é o interesse que ela apresenta, não existe outra definição para o sentido. Ele equivale exatamente à novidade de uma proposição. Podemos escutar as pessoas durante horas: sem interesse... Por isso é tão difícil discutir, por isso não cabe discutir, nunca. Não se vai dizer a alguém: "o que você diz não tem o menor interesse". Pode-se dizer: "está errado". Mas o que alguém diz nunca está errado, não é que esteja errado, é que é bobagem ou não tem importância alguma. É que isso já foi dito mil vezes. As noções de importância, de necessidade, de interesse são mil vezes mais determinantes que a noção de verdade. De modo algum porque elas a substituem, mas porque medem a verdade do que digo. Mesmo em matemática: Poincaré dizia que muitas teorias matemáticas não têm importância alguma, não interessam. Não dizia que eram falsas, era pior. *[178]*

Édipo nas colônias

Talvez os jornalistas tenham uma parte de responsabilidade nessa crise da literatura. É óbvio que os jornalistas frequentemente escreveram livros. Mas quando escreviam livros, entravam numa outra forma que não a do jornal de imprensa, tornavam-se escritores. A situação mudou porque o jornalista adquiriu a convicção de que a forma livro lhe pertence de pleno direito, que ele não tem nenhum trabalho especial a fazer para chegar a essa forma. É imediatamente, e enquanto corporação, que os jornalistas conquistaram a literatura. Surge daí uma das figuras do romance padrão, algo como *Édipo nas colônias*, as viagens de um repórter, tendo em vista sua busca pessoal de mulheres ou sua procura de um pai. Essa situação repercute em todos os escritores: o escritor deve ser o jornalista dele mesmo e de sua obra. Em última análise, tudo se passa entre um jornalista autor e um jornalista crítico, o livro sendo só um intermediário entre os dois, mal tendo necessidade de existir. É que o livro não passa de um relatório de atividades, de experiências, de intenções, de finalidades que se desenrolam em outro lugar. O livro tornou-se ele mesmo relatório. Consequentemente, cada um parece, e parece a si mesmo, prenhe de um livro, basta que tenha uma profissão ou simplesmente uma família, um pai doente, um chefe abusivo. Cada um tem seu romance em sua própria família ou profissão... Esquece-se que a literatura implica para todo mundo uma busca e um esforço especiais, uma intenção criadora específica, que só pode ser feita na própria literatura, sendo que ela não está de modo algum encarregada de receber os resíduos diretos de atividades e de intenções muito diferentes. É uma "secundarização" do livro que toma o aspecto de uma promoção pelo mercado. *[179]*

Se a literatura morrer, será por assassinato

Aqueles que não leram bem ou não compreenderam McLuhan podem pensar que é da natureza das coisas que o audiovisual substitua o livro, já que ele mesmo comporta tantas potencialidades criadoras quanto a literatura defunta ou outros modos de expressão. Isto não é verdade. Com efeito, se o audiovisual chegar a substituir o livro, não será enquanto meio de expressão concorrente, mas enquanto monopólio exercido por formações que sufocam também as potencialidades criadoras no próprio audiovisual. Se a literatura morrer, será necessariamente de morte violenta e assassinato político (como na URSS, mesmo que ninguém o perceba). A questão não é a de uma comparação de gêneros. A alternativa não é entre a literatura escrita e o audiovisual. É entre as potências criadoras (no audiovisual assim como na literatura) e os poderes de domesticação. É muito improvável que o audiovisual consiga condições de criação se a literatura não salvar as suas. As possibilidades de criação podem ser muito diferentes segundo o modo de expressão considerado, nem por isso deixam de comunicar entre si, na medida em que todas juntas devem opor-se à instauração de um espaço cultural de mercado e de conformidade, isto é, de "produção para o mercado".

Do proletariado no tênis

O estilo é uma noção literária, é uma sintaxe. No entanto, fala-se de um estilo nas ciências, onde não há sintaxe. Fala-se de um estilo nos esportes. A respeito dos esportes existem estudos muito avançados, mas eu os conheço bem pouco; talvez eles se resumam a mostrar *[180]* que o estilo é o novo. Claro, os esportes apresentam uma escala quantitativa marcada pelos recordes, sustentada pelos aperfeiçoamentos dos aparelhos, o calçado, a vara... Mas também existem mutações qualitativas ou das ideias, que são questão de estilo: como se passou, no salto em altura, da tesoura ao rolamento ventral, ao *flop*; como o salto na corrida de obstáculos parou de marcar o obstáculo para formar uma pegada mais alongada. Por que não se podia começar por aí, por que se precisou passar por toda uma história marcada pelos progressos quantitativos? Todo novo estilo implica não um "golpe" novo, mas um encadeamento de posturas, isto é, um equivalente de sintaxe, que se faz com base num estilo precedente e em ruptura com ele. As melhorias técnicas só têm seu efeito se tomadas e selecionadas num novo estilo, que elas não bastam para determinar. Donde a importância dos "inventores" no esporte, são os intercessores qualitativos. Tome-se o exemplo do tênis: quando foi que surgiu um tipo de devolução de serviço em que a bola devolvida cai nos pés do adversário, que sobe à rede? Creio que foi um grande jogador australiano, Bromwich, antes da guerra, mas não é certeza. É evidente que Borg inventou um novo estilo, que abria o tênis a uma espécie de proletariado. Existem inventores, no tênis como em outras coisas. McEnroe é um inventor, quer dizer um estilista, ele introduziu no tênis posturas egípcias (seu serviço) e reflexões dostoievskianas ("se você passa seu tempo batendo com a cabeça contra a parede de propósito, a vida fica impossível"). Nisso, os imitadores podem vencer os inventores e fazer melhor do que eles: são os *best-sellers* do esporte. Borg engendrou uma raça de proletários obscuros, McEnroe pode perder para um campeão quantitativo. Dirão que os copiadores, aproveitando um movimento vindo de outra parte, são ainda melhores, e as federações esportivas demonstram uma *[181]* notável ingratidão para com os inventores que as fizeram viver e prosperar. Isto não tem importância: a história do esporte passa por esses inventores, que cada vez constituíam o inesperado, a nova sintaxe, as mutações, e sem os quais os progressos puramente tecnológicos teriam permanecido quantitativos, sem importância nem interesse.

Aids e estratégia mundial

Existe um problema muito importante na medicina, que é a evolução das doenças. Com certeza há novos fatores externos, novas formas microbianas ou viróticas, novos dados sociais. Mas há também a sintomatologia, os agrupamentos de sintomas: num espaço de tempo muito curto os sintomas não são agrupados da mesma maneira, são isoladas doenças que antes eram classificadas em contextos diferentes. O mal de Parkinson, a doença de Roger etc., mostram grandes mudanças nos agrupamentos de sintomas (seria uma sintaxe da medicina). A história da medicina é feita desses agrupamentos, desses isolamentos, desses reagrupamentos, que os meios tecnológicos, ainda aqui, possibilitam mas não determinam. O que aconteceu desde a guerra em relação a isso? A descoberta das doenças de "estresse", onde o mal não é mais engendrado por um agressor, mas por reações de defesa não específicas que se precipitam ou se esgotam. Depois da guerra, as revistas de medicina estavam cheias de discussões sobre o estresse das sociedades modernas e a nova classificação de doenças que se podia extrair daí. Mais recentemente, foi a descoberta das doenças autoimunes, as doenças do si: mecanismos de defesa que não reconhecem mais as células do organismo que elas deveriam proteger, ou agentes externos que tornam essas células *[182]* impossíveis de distinguir. A Aids se insere entre esses dois polos, o estresse e o autoimune. Talvez estejamos indo em direção a doenças sem médico nem doente, como diz Dagognet em sua análise da medicina atual: existem imagens mais do que sintomas, e portadores mais do que doentes. Isso não convém à Seguridade Social, mas também é inquietante sob outros aspectos. É impressionante que esse novo estilo de doença coincida com a política ou a estratégia mundiais. Explicam-nos que os riscos de guerra não vêm apenas da eventualidade de um agressor externo específico, mas de uma precipitação ou de um desmantelamento de nossas reações de defesa (daí a importância de uma força atômica bem controlada...). Eis que nossas doenças respondem ao mesmo esquema, ou que a política nuclear responde a nossas doenças. O homossexual corre o risco de desempenhar o papel de um agressor biológico qualquer, assim como o membro de uma minoria ou o refugiado desempenharão o papel de um inimigo qualquer. É uma razão a mais para teimar por um regime socialista que recusaria essa dupla imagem da doença e da sociedade.

É preciso falar da criação como traçando seu caminho entre impossibilidades... É Kafka quem explicava: a impossibilidade para um escritor judeu de falar alemão, a impossibilidade de falar tcheco, a impossibilidade de não falar. Pierre Perrault reencontra o problema: impossibilidade de não falar, de falar inglês, de falar francês. A criação se faz em gargalos de estrangulamento. Mesmo numa língua dada, mesmo no francês por exemplo, uma nova sintaxe é uma língua estrangeira dentro da língua. Se um criador não é agarrado pelo pescoço por um conjunto de impossibilidades, não é um criador. Um criador é alguém que cria suas próprias impossibilidades, e ao mesmo tempo cria um possível. Como McEnroe, é dando cabeçadas que se acha. É preciso lixar a parede, pois sem um conjunto *[183]* de impossibilidades não se terá essa linha de fuga, essa saída que constitui a criação, essa potência do falso que constitui a verdade. É preciso escrever líquido ou gasoso, justamente porque a percepção e a opinião ordinárias são sólidas, geométricas. É o que Bergson fazia na filosofia, Virginia Woolf ou James no romance, Renoir no cinema (e o cinema experimental, que foi muito longe na exploração dos estados da matéria). Nada de abandonar a terra. Mas tornar-se tanto mais terrestre quanto se inventa leis do líquido e do gasoso de que a terra depende. O estilo, então, tem necessidade de muito silêncio e trabalho para produzir um turbilhão no mesmo lugar, depois, lança-se como um fósforo que as crianças vão seguindo na água da sarjeta. Pois certamente não é compondo palavras, combinando frases, utilizando ideias que se faz um estilo. É preciso abrir as palavras, rachar as coisas, para que se liberem vetores que são os da terra. Todo escritor, todo criador é uma sombra. Como fazer a biografia de Proust ou de Kafka? A partir do momento em que se escreve, a sombra é primeira em relação ao corpo. A verdade é da ordem da produção de existência. Não está dentro da cabeça, é algo que existe. O escritor emite corpos reais. No caso de Pessoa são personagens imaginários, não tão imaginários, porque ele lhes dá uma escrita, uma função. Mas ele sobretudo não faz, ele mesmo, o que os personagens fazem. Não se pode ir longe na literatura com o sistema "Viajamos e vimos muito", onde o autor primeiro faz as coisas e em seguida relata. O narcisismo dos autores é odioso porque não pode haver narcisismo de uma sombra. Então a entrevista acabou. O que é grave, não é atravessar o deserto, tendo a idade e a paciência para isto; grave é para os jovens escritores que nascem no deserto, porque correm o risco de verem sua empreitada anulada antes mesmo que aconteça. E no *[184]* entanto, é impossível que não nasça a nova raça de escritores que já estão aí para os trabalhos e os estilos.

(*L'Autre Journal*, nº 8, outubro de 1985,
entrevista a Antoine Dulaure e Claire Parnet)

SOBRE A FILOSOFIA

[185]

— *Você acaba de publicar um novo livro:* A dobra: Leibniz e o barroco. *Poderia retraçar o itinerário que, de um estudo sobre Hume* (Empirismo e subjetividade, *1953) o conduz agora a Leibniz? Seguindo a cronologia de seus livros, poderíamos dizer que depois de uma primeira etapa dedicada a trabalhos de história da filosofia, que teria culminado com* o Nietzsche *(1962), você elaborou, com* Diferença e repetição *(1968), depois nos dois tomos de* Capitalismo e esquizofrenia *(1972 e 1980) escritos com Félix Guattari, uma filosofia própria, cujo estilo é tudo menos universitário. Parece que hoje, depois de ter escrito sobre pintura (Bacon) e cinema, você reata com um tratamento mais clássico da filosofia. Você se reconhece num tal percurso? Deve-se considerar sua obra como um todo, uma unidade? Ou, ao contrário, você vê nela rupturas, transformações?*

— Com três períodos já estaria bom. De fato, comecei com livros de história da filosofia, mas todos os autores de que me ocupei tinham para mim algo em comum. E tudo tendia para a grande identidade Espinosa-Nietzsche.

A história da filosofia não é uma disciplina particularmente reflexiva. É antes como a arte do *[186]* retrato em pintura. São retratos mentais, conceituais. Como em pintura, é preciso fazer semelhante, mas por meios que não sejam semelhantes, por meios diferentes: a semelhança deve ser produzida, e não ser um meio para reproduzir (aí nos contentaríamos em redizer o que o filósofo disse). Os filósofos trazem novos conceitos, eles os expõem, mas não dizem, pelo menos não completamente, a quais problemas esses conceitos respondem. Por exemplo, Hume expõe um conceito original de crença, mas não diz porque nem como o problema do conhecimento se coloca de tal forma que o conhecimento seja um modo determinável de crença. A história da filosofia deve, não redizer o que disse um filósofo, mas dizer o que ele necessariamente subentendia, o que ele não dizia e que, no entanto, está presente naquilo que diz.

A filosofia consiste sempre em inventar conceitos. Nunca me preocupei com uma superação da metafísica ou uma morte da filosofia. A filosofia tem uma função que permanece perfeitamente atual, criar conceitos. Ninguém pode fazer isso no lugar dela. Certamente, a filosofia sempre teve seus rivais, desde os "rivais" de Platão até o bufão de Zaratustra. Hoje é a informática, a comunicação, a promoção comercial que se apropriam dos termos "conceito" e "criativo", e esses "conceituadores" formam uma raça atrevida que exprime o ato de vender como o supremo pensamento capitalista, o cogito da mercadoria. A filosofia sente-se pequena e só diante de tais potências, mas, se chegar a morrer, pelo menos será de rir.

A filosofia não é comunicativa, assim como não é contemplativa nem reflexiva: ela é, por natureza, criadora ou mesmo revolucionária, uma vez que não para de criar novos conceitos. A única condição é que eles tenham uma necessidade, mas também uma estranheza, e eles as têm *[187]* na medida em que respondem a verdadeiros problemas. O conceito é o que impede que o pensamento seja uma simples opinião, um conselho, uma discussão, uma tagarelice. Todo conceito é forçosamente um paradoxo. Uma filosofia, é o que nós tentamos fazer, Félix Guattari e eu, em *O anti-Édipo* e em *Mil platôs*, sobretudo em *Mil platôs* que é um livro volumoso e propõe muitos conceitos. Nós não colaboramos, fizemos um livro e depois um outro, não no sentido de uma unidade, mas de um artigo indefinido. Cada um de nós tinha um passado e um trabalho anterior: ele em psiquiatria, em política, em filosofia, já rico em conceitos, e eu com *Diferença e repetição* e *Lógica do sentido*. Mas não colaboramos como duas pessoas. Éramos sobretudo como dois riachos que se juntam para fazer "um" terceiro, que teria sido nós. Afinal, em "filosofia" uma das questões sempre foi a seguinte: como interpretar "filo"? *Uma* filosofia, isto foi então para mim como que um segundo período, que eu jamais teria começado e concluído sem Félix.

Em seguida, suponhamos um terceiro período em que trato de pintura e de cinema, em que trato aparentemente de imagens. Mas são livros de filosofia. É que o conceito, creio eu, comporta duas outras dimensões, as do percepto e do afecto. É isso que me interessa, e não as imagens. Os perceptos não são percepções, são pacotes de sensações e de relações que sobrevivem àqueles que os vivenciam. Os afectos não são sentimentos, são devires que transbordam aquele que passa por eles (tornando-se outro). Os grandes romancistas ingleses ou americanos escrevem frequentemente por perceptos, e Kleist, Kafka, por afectos. O afecto, o percepto e o conceito são três potências inseparáveis, potências que vão da arte à filosofia e vice-versa. O mais difícil, evidentemente, é a música, havendo um esboço de análise em *Mil platôs*: o *[188]* ritornelo implica as três potências. Tentamos fazer do ritornelo um dos nossos conceitos principais, em relação com o território e com a Terra, o pequeno e o grande ritornelos. Finalmente, todos esses períodos se prolongam e se misturam; vejo isto melhor agora nesse livro sobre Leibniz ou sobre a Dobra. Seria melhor eu dizer o que gostaria de fazer em seguida.

— Não há pressa. Poderíamos, primeiro, falar de sua vida? Não haveria uma relação qualquer entre bibliografia e biografia?

— As vidas dos professores raramente são interessantes. Claro, há as viagens, mas os professores pagam suas viagens com palavras, experiências, colóquios, mesas-redondas, falar, sempre falar. Os intelectuais têm uma cultura formidável, eles têm opinião sobre tudo. Eu não sou um intelectual, porque não tenho cultura disponível, nenhuma reserva. O que sei, eu o sei apenas para as necessidades de um trabalho atual, e se volto ao tema vários anos depois preciso reaprender tudo. É muito agradável não ter opinião nem ideia sobre tal ou qual assunto. Não sofremos de falta de comunicação, mas ao contrário, sofremos com todas as forças que nos obrigam a nos exprimir quando não temos grande coisa a dizer. Viajar é ir dizer alguma coisa em outro lugar, e voltar para dizer alguma coisa aqui. A menos que não se volte, que se permaneça por lá. Por isso sou pouco inclinado às viagens; é preciso não se mexer demais para não espantar os devires. Fiquei impressionado com uma frase de Toynbee: "Os nômades são os que não se mexem, eles tornam-se nômades porque se recusam a ir embora".

Se quiserem aplicar a mim os critérios bibliografia-biografia, vejo que escrevi meu primeiro livro bem cedo, e, depois, mais nada durante oito anos. Sei, no entanto, o que fazia, onde e como vivia durante esses *[189]* anos, mas o sei abstratamente, como se um outro me contasse lembranças nas quais acredito, mas que não tenho de verdade. É como um buraco na minha vida, um buraco de oito anos. É isto que me parece interessante nas vidas, os buracos que elas comportam, as lacunas, por vezes dramáticas, mas às vezes nem isso. Catalepsias ou uma espécie de sonambulismo por vários anos, é isto que a maioria das vidas comporta. É talvez nesses buracos que se faz o movimento. A questão é justamente como fazer o movimento, como perfurar a parede para não dar mais cabeçadas. Talvez não se mexendo demais, não falando demais: evitar os falsos movimentos, residir onde não há mais memória. Há uma bela novela de Fitzgerald: alguém passeia pela cidade com um buraco de dez anos. Acontece também o contrário: não mais buracos, e sim recordações além da conta, flutuantes, em excesso, que já não se sabe onde enfiar, onde localizar (isso me aconteceu, mas quando?). Não se sabe mais o que fazer com essas recordações; elas são em demasia. Foi aos sete anos, aos catorze, aos quarenta? Eis as duas coisas interessantes numa vida, as amnésias e as hipermnésias.

— *Essa crítica da fala, você a dirige sobretudo contra a televisão. Você se manifestou a respeito desse assunto no prefácio escrito para o livro de Serge Daney,* Ciné-Journal. *Mas como o filósofo se comunica, como deve ele se comunicar? Os filósofos, desde Platão, escrevem livros, expressam-se através do livro. Isto não mudou até os nossos dias; contudo, entre esses que chamamos ou se chamam de filósofos, vemos hoje distinguirem-se dois tipos: há os que ensinam, que continuam ensinando, que ocupam uma cátedra universitária e que consideram isso importante. Há os que não ensinam, que talvez se recusem até a ensinar, mas que tentam ocupar a mídia: [190] os "novos filósofos". Parece que é preciso incluí-lo na primeira categoria — você até fez um "panfleto" contra os "novos filósofos". O que é dar aulas para você? O que existe de insubstituível nesse exercício?*

— As aulas foram uma parte da minha vida, eu as dei com paixão. Não são de modo algum como as conferências, porque implicam uma longa duração, e um público relativamente constante, às vezes durante vários anos. É como um laboratório de pesquisas: dá-se um curso sobre aquilo que se busca e não sobre o que se sabe. É preciso muito tempo de preparação para obter alguns minutos de inspiração. Fiquei satisfeito em parar quando vi que precisava preparar mais e mais para ter uma inspiração mais dolorosa. E o futuro é sombrio porque está cada dia mais difícil fazer pesquisa nas universidades francesas.

Um curso é uma espécie de *Sprechgesang* [canto falado], mais próximo da música que do teatro. Nada se opõe em princípio a que um curso seja um pouco até como um concerto de rock. É preciso que se diga que a Universidade de Vincennes (e isto continuou depois que fomos violentamente transferidos para o bairro de Saint Denis) reunia condições excepcionais. Em filosofia, recusamos o princípio de "progressividade dos conhecimentos": um mesmo curso era dirigido a estudantes do primeiro ano e do último, a estudantes e a não estudantes, a filósofos e a não filósofos, a jovens e a velhos, a pessoas de muitas nacionalidades. Sempre havia jovens pintores ou músicos, cineastas, arquitetos que demonstravam uma grande exigência de pensamento. Eram longas sessões, ninguém escutava tudo, mas cada um pegava aquilo de que precisava ou aquilo de que tinha vontade, aquilo que podia aproveitar para alguma coisa, mesmo longe da sua disciplina. Houve um período de intervenções diretas, frequentemente esquizofrênicas, depois veio a era *[191]* dos gravadores, com os seus atentos operadores, mas mesmo aí as intervenções eram feitas de uma semana para outra, sob forma de bilhetinhos, às vezes anônimos.

Nunca disse a esse público o que ele foi para mim, o que ele me deu. Nada se assemelhava menos a discussões do que esses encontros, e a filosofia não tem estritamente nada a ver com uma discussão; já se tem bastante dificuldade em compreender qual o problema que cada um coloca e como o coloca, sendo preciso apenas enriquecê-lo, variar suas condições, acrescentar, ajustar, jamais discutir. Era como uma câmara de ecos, um anel, onde uma ideia voltava como se tivesse passado por diversos filtros. Foi aí que entendi a que ponto a filosofia tinha necessidade, não só de uma compreensão filosófica, por conceitos, mas de uma compreensão não filosófica, a que opera por perceptos e afectos. Ambas são necessárias. A filosofia está numa relação essencial e positiva com a não-filosofia: ela se dirige diretamente aos não filósofos. Tome o caso mais surpreendente, Espinosa: é o filósofo absoluto, e a *Ética* é o grande livro do conceito. Mas, ao mesmo tempo, o filósofo mais puro é o que se dirige estritamente a todo mundo: qualquer um pode ler a *Ética*, desde que se deixe levar suficientemente por esse vento, esse fogo. Ou então Nietzsche. Há, por outro lado, um excesso de saber que mata o que é vivo na filosofia. A compreensão não filosófica não é insuficiente nem provisória, é uma das duas metades, uma das duas asas.

— *No prólogo de* Diferença e repetição *você diz: "Aproxima-se o tempo em que já não será possível escrever um livro de filosofia como há muito tempo se faz". Você acrescenta que a pesquisa desses novos meios de expressão filosóficos, inaugurada por Nietzsche, deve prosseguir relacionada com o desenvolvimento de "outras artes", como o [192] teatro ou o cinema. Cita Borges como modelo analógico de um tratamento da história da filosofia (como já o fazia Foucault na introdução de* As palavras e as coisas *em relação ao percurso por ele próprio seguido. Doze anos depois, você diz dos quinze "platôs" de* Mil platôs*: pode-se quase lê-los independentemente uns dos outros, só a conclusão deve ser lida no fim, a conclusão ao longo da qual vocês engancham, num giro louco, os números dos platôs que precedem. Como que por vontade de ter que assumir a um só tempo a ordem e a desordem, sem abrir mão de nenhuma delas. Como vê hoje essa questão do estilo da filosofia, da arquitetura, da composição de um livro de filosofia? E, deste ponto de vista, o que significa escrever a dois? Escrever a dois, eis algo excepcional na história da filosofia, ainda mais que não se trata de diálogo. Como, por que escrever a dois? Como vocês procederam? Que exigência havia em vocês? Quem é pois o autor desses livros? Têm eles sequer um autor?*

— Os grandes filósofos são também grandes estilistas. O estilo em filosofia é o movimento do conceito. Certamente, este não existe fora das frases, mas as frases não têm outro objetivo que não o de dar-lhe vida, uma vida independente. O estilo é uma variação da língua, uma modulação, e uma tensão de toda a linguagem em direção a um fora. Em filosofia é como num romance: deve-se perguntar "que vai suceder?", "o que se passou?". Só que os personagens são conceitos, e os meios, as paisagens, são espaços-tempos. Escreve-se sempre para dar a vida, para liberar a vida aí onde ela está aprisionada, para traçar linhas de fuga. Para isto, é preciso que a linguagem não seja um sistema homogêneo, mas um desequilíbrio, sempre heterogêneo: o estilo *[193]* cava nela diferenças de potenciais entre as quais alguma coisa pode passar, pode se passar, surgir um clarão que sai da própria linguagem, fazendo-nos ver e pensar o que permanecia na sombra em torno das palavras, entidades de cuja existência mal suspeitávamos. Duas coisas se opõem ao estilo: uma língua homogênea, ou, ao contrário, quando a heterogeneidade é tão grande que se torna indiferença, gratuidade, e que nada de preciso passa entre os polos. Entre uma oração principal e uma subordinada tem que haver uma tensão, uma espécie de zigue-zague, mesmo e sobretudo quando a frase parece toda correta. Há um estilo quando as palavras produzem um clarão que vai de umas às outras, mesmo que muito afastadas.

Por conseguinte, escrever a dois não constitui qualquer problema especial, ao contrário. Haveria um problema se fôssemos exatamente pessoas, cada uma tendo sua vida própria, suas opiniões próprias, e se propondo a colaborar e discutir um com o outro. Quando eu dizia que Félix e eu éramos mais como riachos, queria dizer que a individuação não é necessariamente pessoal. Não temos certeza alguma de que somos pessoas: uma corrente de ar, um vento, um dia, uma hora do dia, um riacho, um lugar, uma batalha, uma doença têm uma individualidade não pessoal. Eles têm nomes próprios. Nós os chamamos de "hecceidades". Eles se compõem como dois riachos, dois rios. São eles que se expressam na linguagem, e nela cavam as diferenças, mas é a linguagem que lhes dá uma vida própria individual, e faz passar algo entre eles. Falamos como todo mundo ao nível da opinião, e dizemos "eu", eu sou uma pessoa, como se diz "o sol nasce". Mas nós não temos certeza disso, certamente não é um bom conceito. Félix e eu, e muito mais gente como nós, não nos sentimos precisamente como pessoas. Temos antes uma individualidade de acontecimentos, o que não é *[194]* em absoluto uma fórmula ambiciosa, já que as hecceidades podem ser modestas e microscópicas. Em todos os meus livros busquei a natureza do acontecimento; este é um conceito filosófico, o único capaz de destituir o verbo ser e o atributo. A esse respeito, escrever a dois torna-se perfeitamente normal. Basta que algo se passe, uma corrente só ela portadora de nome próprio. Mesmo quando se acredita escrever só, isto sempre se passa com algum outro que nem sempre é nomeável.

Em *Lógica do sentido* tentei uma espécie de composição serial. Mas *Mil platôs* é mais complexo: é que "platô" não é uma metáfora; os platôs são zonas de variação contínua, são como torres que vigiam ou sobrevoam, cada uma, uma região, e que emitem signos umas à outras. É uma composição indiana ou genovesa. Parece-me que é aí que nos aproximamos mais de um estilo, isto é, de uma politonalidade.

— *A literatura está presente por toda parte em seu trabalho, quase que de maneira paralela à filosofia: a* Apresentação de Sacher-Masoch, *o pequeno livro sobre Proust (que não parou de crescer), uma grande parte de* Lógica do sentido, *tanto no corpo do livro (sobre Lewis Carroll) como nos anexos (sobre Klossowski, Michel Tournier, Zola), o livro sobre Kafka escrito com Guattari no prolongamento de* O anti-Édipo, *um capítulo de seu* Diálogos *com Claire Parnet (sobre a "superioridade da literatura anglo-americana"), frag-*

mentos consideráveis de Mil platôs. *A lista é longa. E no entanto, isso não produz nada de comparável ao que provocam, em maior grau seus livros sobre o cinema, em menor grau* Lógica da sensação, *feito entretanto a partir do trabalho de um único pintor: ordenar, racionalizar uma forma de arte, um plano de expressão. Seria porque a literatura está por demais próxima da filosofia, de sua própria expressão, de modo que ela não pode deixar de acompanhar por [195] inflexões o todo do movimento que você faz? Ou isto se deve a outras razões?*

— Não sei, não creio que exista essa diferença. Imaginei um conjunto de estudos sob o título geral *Crítica e clínica*. Não significa que os grandes autores, os grandes artistas sejam doentes, mesmo que sublimes, nem que se busque neles a marca de uma neurose ou de uma psicose, como um segredo presente em sua obra, como a chave da sua obra. Não são doentes; ao contrário, são médicos, médicos muito especiais. Por que Masoch dá seu nome a uma perversão tão antiga quanto o mundo? Não porque "sofra" dela, mas porque ele lhe renova os sintomas, traçando dela um quadro original ao fazer do contrato o signo principal, e também ao ligar as condutas masoquistas à situação das minorias étnicas e ao papel das mulheres nessas minorias: o masoquismo torna-se um ato de resistência, inseparável de um humor de minorias. Masoch é um grande sintomatologista. Em Proust não é a memória que é explorada, são todas as espécies de signos, dos quais é preciso descobrir a natureza de acordo com os meios, o modo de emissão, a matéria, o regime. *Em busca do tempo perdido* é uma semiologia geral, uma sintomatologia dos mundos. A obra de Kafka é o diagnóstico de todas as potências diabólicas que nos esperam. Nietzsche dizia que o artista e o filósofo são médicos da civilização. É inevitável que, quando a ocasião se apresenta, eles não se interessem muito pela psicanálise. Existe na psicanálise uma tal redução do segredo, uma tal falta de compreensão dos signos e sintomas, que tudo é reconduzido ao que Lawrence chamava de "o sujo segredinho".

Não se trata apenas de diagnóstico. Os signos remetem a modos de vida, a possibilidades de existência, são sintomas de uma vida transbordante ou *[196]* esgotada. Mas um artista não pode se contentar com uma vida esgotada, nem com uma vida pessoal. Não se escreve com o seu eu, sua memória e suas doenças. No ato de escrever há a tentativa de fazer da vida algo mais que pessoal, de liberar vida daquilo que a aprisiona. O artista ou o filósofo têm frequentemente uma saúde bem frágil, um organismo fraco, um equilíbrio pouco garantido, Espinosa, Nietzsche, Lawrence. Mas não é a morte que os quebra, é antes o excesso de vida que eles viram, provaram, pensaram. Uma vida demasiado grande para eles, mas é através deles que "o signo está próximo": o final de Zaratustra, o quinto livro da *Ética*. Escreve-se em função de um povo por vir e que ainda não tem linguagem. Criar não é comunicar mas resistir. Há um liame profundo entre os signos, o acontecimento, a vida, o vitalismo. É a potência de uma vida não orgânica, a que pode existir numa linha de desenho, de escrita ou de música. São os organismos que morrem, não a vida. Não há obra que não indique uma saída para a vida, que não trace um caminho entre as pedras. Tudo que escrevi era vitalista, ao menos assim o espero, e constituía uma teoria dos signos e do acontecimento. Não creio que o problema se coloque diferentemente em literatura e nas outras artes; simplesmente não tive oportunidade de fazer para a literatura o livro que eu desejaria.

— *A psicanálise ainda percorre, subjacente, mesmo que de maneira singular,* Diferença e repetição *e* Lógica do sentido. *A partir de* O anti-Édipo, *primeiro tomo de* Capitalismo e esquizofrenia, *ela torna-se claramente o inimigo a ser abatido. Porém, ainda mais profundamente, ela permanece des-*

de então como a visão por excelência da qual é preciso se desfazer para poder pensar algo novo, e quase para pensar de novo. Como sucedeu isso? E por que O anti-Édipo *foi o primeiro grande livro filosófico da conjuntura Maio de 68, talvez seu [197] primeiro verdadeiro manifesto filosófico? Esse livro diz bem, e logo de início, que o futuro não está numa síntese qualquer de freudo-marxismo. Ele se liberta de Freud (de Lacan e suas estruturas), como se acreditou que os "novos filósofos" logo se libertariam de Marx (e da Revolução). Como você percebe isto que aparece como uma singular analogia?*

— É curioso, não fui eu quem tirou Félix da psicanálise, mas ele que me tirou dela. Em meu estudo sobre Masoch, e depois na *Lógica do sentido*, eu acreditava ter obtido resultados sobre a falsa unidade sadomasoquista, ou ainda sobre o acontecimento, que não estavam em conformidade com a psicanálise, mas que podiam se conciliar com ela. Félix, ao contrário, era e continuava sendo psicanalista, aluno de Lacan, mas à maneira de um "filho" que já sabe que não há conciliação possível. *O anti-Édipo* é uma ruptura que se faz por si só, a partir de dois temas: o inconsciente não é um teatro mas uma fábrica, uma máquina de produzir; o inconsciente não delira sobre papai-mamãe, ele delira sobre as raças, as tribos, os continentes, a história e a geografia, sempre um campo social. Buscávamos uma concepção imanente, uma utilização imanente das sínteses do inconsciente, um produtivismo ou construtivismo do inconsciente. Então nos apercebíamos que a psicanálise jamais havia compreendido o que queria dizer um artigo indefinido (uma criança...), um devir (os devires-animal, as relações com o animal), um desejo, um enunciado. Nosso último texto sobre a psicanálise é a propósito do Homem dos Lobos, em *Mil platôs*: como ela é incapaz de pensar o plural ou o múltiplo, uma matilha e não um só lobo, um ossário e não um único osso.

A psicanálise nos parecia um fantástico empreendimento para arrastar o desejo a impasses, e para impedir as pessoas de dizerem o que tinham a dizer. Era *[198]* um empreendimento contra a vida, um canto de morte, lei e castração, uma sede de transcendência, um sacerdócio, uma psicologia (no sentido em que não há psicologia senão do sacerdote). Se esse livro teve importância depois de 68, é com efeito porque rompia com as tentativas freudo-marxistas: nós não procurávamos distribuir nem conciliar os níveis, mas, ao contrário, colocar num mesmo plano uma produção que era a um só tempo social e desejante, a partir de uma lógica dos fluxos. O delírio operava no real, não conhecíamos outro elemento que não o real; o imaginário e o simbólico nos pareciam falsas categorias.

O anti-Édipo era a univocidade do real, uma espécie de espinosismo do inconsciente. Ora, creio que 68 foi justamente essa descoberta. Os que odeiam 68, ou que justificam a renegação, consideram que ele foi simbólico ou imaginário. Mas precisamente ele nunca foi isso, e sim uma intrusão do real puro. Em todo caso, não vejo a mínima analogia entre o empreendimento de *O anti-Édipo* em relação a Freud e a dos "novos filósofos" em relação a Marx. Isto me espantaria. Se *O anti-Édipo* pretende criticar a psicanálise, é em função de uma concepção do inconsciente que, boa ou má, está detalhada nesse livro, ao passo que os novos filósofos, quando denunciam Marx, não fazem em absoluto uma nova análise do capital, que com eles, misteriosamente, perde toda existência, mas denunciam consequências políticas e éticas stalinistas que eles supõem decorrer de Marx. Eles estão mais próximos daqueles que culpavam Freud de consequências imorais, o que nada tem a ver com filosofia.

— Você reivindica constantemente a imanência: parece que o que é próprio do seu pensamento é ser ele sem falta e sem negação, um pensamento que elide sistematicamente

todo sentido de transcendência, seja ele [199] qual for. Dá vontade de lhe perguntar: é realmente verdade, e como isto é possível? Tanto mais que, apesar dessa imanência generalizada, seus conceitos permanecem sempre parciais e locais. Desde Lógica do sentido, *parece que você teve a preocupação de produzir uma bateria de conceitos a cada novo livro. Observa-se sem dúvida migrações, recortes. Mas globalmente o vocabulário dos livros sobre o cinema não é o mesmo de* Lógica da sensação, *que, por sua vez, não é o mesmo de* Capitalismo e esquizofrenia *etc. Ao invés de serem retomados em função de uma maior precisão, para ficarem mais apurados, complicados e acumulados em relação a eles mesmos, é como se os seus conceitos, se é que se pode dizer isto, devessem a cada vez formar um corpo próprio, um nível de invenção específico. Isto supõe que eles são impróprios para qualquer retomada numa formulação de conjunto? Ou que se trata apenas de produzir uma abertura máxima, sem prejulgar nada? E como isso se concilia com a imanência?*

— Erigir um plano de imanência, traçar um campo de imanência, todos os autores de que me ocupei o fizeram (mesmo Kant quando denuncia o uso transcendente das sínteses, mas ele se atém à experiência possível e não à experimentação real). O Abstrato nada explica, devendo ser ele próprio explicado: não há universais, nada de transcendentes, de Uno, de sujeito (nem de objeto), de Razão, há somente processos, que podem ser de unificação, de subjetivação, de racionalização, mas nada mais. Esses processos operam em "multiplicidades" concretas, sendo a multiplicidade o verdadeiro elemento onde algo se passa. São as multiplicidades que povoam o campo de imanência, um pouco como as tribos povoando o deserto sem que este deixe de ser um deserto. E o plano de imanência deve ser construído; a imanência é um construtivismo e cada multiplicidade *[200]* assinalável é como uma região do plano. Todos os processos se produzem sobre o plano de imanência e numa multiplicidade assinalável: as unificações, subjetivações, racionalizações, centralizações não têm qualquer privilégio, sendo frequentemente impasses ou clausuras que impedem o crescimento da multiplicidade, o prolongamento e o desenvolvimento de suas linhas, a produção do novo.

Quando se invoca uma transcendência, interrompe-se o movimento, para introduzir uma interpretação em vez de experimentar. Bellour mostrou-o bem, no caso do cinema, para o fluxo de imagens. E, com efeito, a interpretação se faz sempre em nome de alguma coisa que se supõe estar faltando. A unidade é precisamente aquilo que falta à multiplicidade, assim como o sujeito é aquilo que falta ao acontecimento ("chove"). Claro, existem fenômenos de falta, mas é em função de um abstrato, do ponto de vista de uma transcendência, nem que seja a de um Eu, toda vez que se é impedido de construir o plano de imanência. Os processos são os devires, e estes não se julgam pelo resultado que os findaria, mas pela qualidade dos seus cursos e pela potência de sua continuação: é o caso dos devires-animal, ou das individuações não subjetivas. Foi nesse sentido que opusemos os rizomas às árvores, e as árvores, ou, antes, os processos de arborização seriam limites provisórios que interrompem por um momento o rizoma e sua transformação. Não existem universais, mas apenas singularidades. Um conceito não é um universal, mas um conjunto de singularidades em que cada uma se prolonga até a vizinhança de uma outra.

Retomemos o exemplo do ritornelo como conceito: ele está numa relação com o território. Há ritornelos dentro do território, e que o marcam; mas também quando se tenta encontrar o território e se tem medo da noite; e ainda quando se o deixa, "adeus, estou partindo...". Já são como que *[201]* três posições diferenciais. É que o ritornelo exprime a tensão do território com algo mais profundo, que é a Terra. Seja, mas a Terra é portanto a Desterritorializada, ela é inseparável de um processo de desterritorialização que é seu movimento aberrante. Eis aí um conjunto de singularidades que se prolongam umas nas outras, é um conceito que remete enquanto tal a um acontecimento: um *lied* [canção]. Um canto se eleva, se aproxima ou se afasta. É o que se passa num plano de imanência: multiplicidades o povoam, singularidades se conectam, processos ou devires se desenvolvem, intensidades sobem ou descem.

Concebo a filosofia como uma lógica das multiplicidades (sinto-me próximo de Michel Serres sob esse aspecto). Criar conceitos é construir uma região do plano, juntar uma região às precedentes, explorar uma nova região, preencher a falta. O conceito é um composto, um consolidado de linhas, de curvas. Se os conceitos devem renovar-se constantemente, é justamente porque o plano de imanência se constrói por região, havendo uma construção local, de próximo em próximo. É por isso que eles operam por rajadas: em *Mil platôs*, cada platô deveria ser uma tal rajada. Mas isso não quer dizer que não sejam objeto de retomadas e de sistematicidade. Ao contrário, existe uma repetição como potência do conceito: é o ajuste de uma região a outra. E esse ajuste é uma operação indispensável, perpétua, o mundo como colcha de retalhos. Portanto, é exata sua dupla impressão: um único plano de imanência e, no entanto, conceitos sempre locais.

O que para mim substitui a reflexão é o construcionismo. E o que substitui a comunicação é uma espécie de expressionismo. O expressionismo em filosofia encontra seu ponto mais elevado em Espinosa e em Leibniz. Creio ter encontrado um conceito de Outrem *[202]* ao defini-lo como não sendo nem um objeto nem um sujeito (um outro sujeito), mas como sendo a expressão de um mundo possível. Alguém que está com dor de dente, mas também um japonês que anda na rua, exprimem mundos possíveis. E eis que eles falam: falam-me do Japão, e é justo o japonês que me fala do Japão, ou então fala japonês: a linguagem nesse sentido confere uma realidade ao mundo possível enquanto tal, é a realidade do possível enquanto possível (se vou ao Japão, ao contrário, já não se trata do possível). Mesmo dessa maneira muito sumária, a inclusão dos mundos possíveis no plano de imanência faz do expressionismo o complemento do construcionismo.

— *Mas de onde vem essa necessidade de criar conceitos novos? Haveria um "progresso" em filosofia? Como você definiria as tarefas dela, sua necessidade e mesmo seu "programa" hoje?*

— Suponho que existe uma imagem do pensamento que varia muito, que tem variado muito ao longo da história. Por imagem do pensamento não entendo o método, mas algo mais profundo, sempre pressuposto, um sistema de coordenadas, dinamismos, orientações: o que significa pensar, e "orientar-se no pensamento". De qualquer forma se está no plano de imanência, mas para aí erigir verticalidades, elevar a si próprio, ou, ao contrário, para se estender, correr ao longo da linha do horizonte, impelir o plano cada vez para mais longe? E quais verticalidades, as que nos dão algo para contemplar, ou então as que nos fazem refletir ou comunicar? Ou não será preciso justamente suprimir toda e qualquer verticalidade como transcendência, e nos deitarmos sobre a terra e abraçá-la, sem olhar, sem reflexão, privados de comunicação? E temos ainda conosco o amigo ou já estamos sós, Eu = Eu, ou somos amantes, ou ainda outra coisa, e quais os *[203]* riscos de trair a si mesmo, de ser traído ou de trair? Não há um momento em que é preciso desconfiar até do amigo? Que sentido dar ao "*philos*" de filosofia? Será o mesmo sentido em Platão e no livro de Blanchot, *L'amitié*, ainda que se trate sempre do pensamento? Desde Empédocles há toda uma dramaturgia do pensamento.

A imagem do pensamento é como que o pressuposto da filosofia, precede esta; desta vez não se trata de uma compreensão não filosófica, mas sim de uma compreensão pré-filosófica. Há pessoas para quem pensar é "discutir um pouco". Certo, é uma imagem idiota, mas mesmo os idiotas têm uma imagem do pensamento, e é apenas trazendo à luz essas imagens que se pode determinar as condições da filosofia. Ora, será que nós temos do pensamento a mesma imagem que teve Platão ou mesmo Descartes ou Kant? Será que a imagem não se transforma segundo coerções imperiosas, que sem dúvida exprimem determinismos externos, porém mais ainda um devir do pensamento? Será que ainda podemos pretender que buscamos o verdadeiro, nós que nos debatemos no não-sentido?

É a imagem do pensamento que guia a criação dos conceitos. Ela é como um grito, ao passo que os conceitos são cantos. À questão: há um progresso em filosofia? é preciso responder um pouco como Robbe-Grillet em relação ao romance: não há qualquer razão para fazer filosofia como Platão, não porque o ultrapassamos, mas, ao contrário, porque Platão não é ultrapassável, e porque não há interesse algum em recomeçar o que ele fez para sempre. Só temos uma alternativa: fazer história da filosofia ou aplicar enxertos de Platão em problemas que já não são platônicos.

A esses estudos das imagens do pensamento chamaríamos de noologia, e seriam eles os prolegômenos à filosofia. *[204]* É o verdadeiro objeto de *Diferença e repetição*, a natureza dos postulados na imagem do pensamento. Fiquei obcecado por essa questão em *Lógica do sentido*, onde a altura, a profundidade e a superfície são coordenadas do pensamento; retomo-a em *Proust e os signos*, já que Proust opõe toda a potência dos signos à imagem grega; e depois Félix e eu a reencontramos em *Mil platôs*, porque o rizoma é a imagem do pensamento que se estende sob a imagem das árvores. Nessa questão temos não um modelo, nem mesmo um guia, mas um referente, um cruzamento a ser operado sem cessar: é o estado de nossos conhecimentos sobre o cérebro.

Há uma relação privilegiada da filosofia com a neurologia, visível nos associacionistas, em Schopenhauer ou em Bergson. O que nos inspira hoje não são os computadores, é a microbiologia do cérebro: este se apresenta como um rizoma, mais como a grama do que como a árvore, "*an uncertain system*", com mecanismos probabilísticos, semialeatórios, quânticos. Não que pensemos conforme o conhecimento que temos do cérebro, mas todo novo pensamento traça ao vivo no cérebro sulcos desconhecidos, torce-o, dobra-o, fende-o. Milagre de Michaux a esse respeito. Novas conexões, novas passagens, novas sinapses, é o que a filosofia mobiliza ao criar conceitos, mas é também toda uma imagem da qual a biologia do cérebro, com seus próprios meios, descobre a semelhança material objetiva ou o material de potência.

O que me interessa no cinema é que a tela pode ser aí um cérebro, como no cinema de Resnais ou de Syberberg. O cinema não procede apenas por encadeamentos feitos de cortes racionais, mas por reencadeamentos sobre cortes irracionais: não é a mesma imagem do pensamento. O que havia de interessante nos clipes do início era *[205]* a impressão que alguns davam de operar através dessas conexões e hiatos que já não eram os da vigília, mas tampouco os do sonho e nem mesmo do pesadelo. Por um instante eles roçaram algo próprio do pensamento. É tudo o que quero dizer: pelos seus desenvolvimentos, bifurcações e mutações, uma imagem secreta do pensamento inspira a necessidade constante de criar novos conceitos, não em função de um determinismo externo, mas em função de um devir que arrasta os próprios problemas.

— *Seu livro anterior foi dedicado a Foucault. Tratava da história da filosofia? Por que Foucault? Que relações têm entre si sua filosofia e a dele? Já em* Foucault *você introduzia a noção de dobra. Existe uma relação Foucault-Leibniz?*

— Foucault é um grande filósofo, é também um admirável estilista. Ele recortou de outro modo o saber, o poder, e descobriu entre eles relações específicas. Com ele a filosofia toma um novo sentido. Depois ele introduziu os processos de subjetivação como uma terceira dimensão dos "dispositivos", como um terceiro termo distinto que relança os saberes e remaneja os poderes: ele abre assim toda uma teoria e uma história dos modos de existência, a subjetivação grega, as subjetivações cristãs... seu método repudia os universais e descobre processos sempre singulares que se produzem nas multiplicidades. O que mais me influenciou foi sua teoria do enunciado, porque implica uma concepção da linguagem como conjunto heterogêneo em desequilíbrio, e permite pensar a formação de novos tipos de enunciados em todos os domínios. A importância de sua obra "literária", de crítica literária e artística, só aparecerá quando os artigos forem reunidos; um texto como "A vida dos homens infames" é uma obra-prima *[206]* de comicidade e de beleza; há em Foucault algo que é próximo de Tchekhov.

O livro que fiz não é de história da filosofia, é um livro que eu gostaria de ter feito com ele, com a ideia que tenho dele e com minha admiração por ele. Se esse livro pudesse ter um valor poético, seria o que os poetas chamam de "túmulo". Minhas diferenças são muito secundárias: o que ele chamava de dispositivo, e o que Félix e eu chamamos de agenciamento, não têm as mesmas coordenadas, já que ele constituía sequências históricas originais, enquanto nós dávamos mais importância a componentes geográficos, territorialidades e movimentos de desterritorialização. Nós sempre tivemos inclinação por uma história universal, que ele detestava. Mas era para mim uma confirmação indispensável poder acompanhar o que ele fazia. Frequentemente foi mal compreendido, o que não o atormentava, mas o perturbava. Ele suscitava medo, isto é, só com sua existência impedia a impudência dos imbecis. Foucault preenchia a função da filosofia definida por Nietzsche, "incomodar a besteira". Nele, o pensamento é como um mergulho que traz sempre algo à luz. É um pensamento que faz dobras, e de repente se distende como uma mola. No entanto, não creio que Leibniz tenha tido alguma influência especial sobre ele. Mas uma frase de Leibniz lhe convém particularmente: eu acreditava ter chegado ao porto, mas fui lançado de volta ao alto mar. Os pensadores como Foucault procedem por crises, abalos, há neles algo de sísmico.

A última via aberta por Foucault é extremamente rica: os processos de subjetivação nada têm a ver com a "vida privada", mas designam a operação pela qual indivíduos ou comunidades se constituem como sujeitos, à margem dos saberes constituídos e dos poderes estabelecidos, podendo dar lugar a novos saberes e poderes. É por isso que a subjetivação vem *[207]* em terceiro lugar, sempre "desenganchada", numa espécie de dobra, dobramento ou redobramento. Foucault atribui o primeiro movimento de subjetivação, pelo menos no Ocidente, aos gregos, quando o homem tornado livre supõe que deve ser "senhor de si mesmo" se quiser ser capaz de governar os outros. Mas as subjetivações são muito diversas, donde o interesse de Foucault pelo cristianismo: este será atravessado por processos individuais (anacoretas) ou coletivos (ordens, comunidades), sem falar das heresias e das reformas, e a regra não será mais o domínio de si. Talvez até seja preciso dizer que em muitas formações sociais não são os senhores, mas antes os excluídos sociais que constituem focos de subjetivação: por exemplo, o escravo libertado que se queixa de ter perdido todo estatuto social na ordem estabelecida, e que estará na origem de novos poderes. A queixa tem uma grande importância não só poética, mas histórica e social, porque exprime um movimento de subjetivação ("pobre de mim..."): existe toda uma subjetividade elegíaca. O sujeito nasce nas queixas tanto quanto na exaltação. Foucault era fascinado pelos movimentos de subjetivação que se delineiam hoje em nossas sociedades: quais são os processos modernos que estão em vias de produzir subjetividade? Então, quando se fala de um retorno ao sujeito em Foucault, é porque não se vê em absoluto o problema que ele coloca. Também neste caso, não vale a pena discutir.

— *Com efeito, em* O anti-Édipo *vemos retalhos de história universal, com a distinção entre sociedades codificadas, Estados sobrecodificadores e o capitalismo que descodifica os fluxos. Depois, em* Mil platôs *vocês retomam esse tema e introduzem uma oposição entre máquinas de guerra nômades e Estados sedentários: vocês propõem uma "nomadologia". Mas será que daí decorrem posições políticas? Você participou do Grupo de Informação sobre as Prisões (GIP) junto com [208] Foucault; você apoiou a candidatura do comediante Coluche à presidência da França nas eleições de 1981; você tomou posição em favor da Palestina. Mas desde o pós-68 você parecia mais "silencioso", muito mais que Guattari. Você ficou longe do movimento pelos direitos do homem, da filosofia do Estado de direito. Foi por opção, reticência, decepção? Não há um papel a ser desempenhado pelo filósofo na cidade?*

— Se se trata de reconstituir transcendências ou universais, de restabelecer um sujeito de reflexão portador de direitos, ou de instaurar uma intersubjetividade de comunicação, não estamos diante de uma grande invenção filosófica. Quer-se fundar um "consenso", mas o consenso é uma regra ideal de opinião que nada tem a ver com a filosofia. Dir-se-ia que se trata aí de uma filosofia-propaganda, frequentemente dirigida contra a URSS. Ewald mostrou como os direitos dos homens não se contentavam com um sujeito de direito, mas suscitavam problemas jurídicos interessantes sob outros aspectos. E em muitos casos os Estados que pisoteiam os direitos do homem são tamanhas excrescências ou dependências daqueles que os reivindicam, que mais parecem duas funções complementares.

Só se pode pensar o Estado em relação ao que está para além dele, o mercado mundial único, e ao que está aquém dele, as minorias, os devires, as "pessoas". É o dinheiro que reina mais além, é ele que comunica, e o que nos falta atualmente não é com certeza uma crítica do marxismo, é uma teoria moderna do dinheiro que seja tão boa quanto a de Marx e a prolongue (os banqueiros estariam mais aptos que os economistas para fornecer os elementos para isso, ainda que o economista Bernard Schmitt tenha avançado nesse domínio). E mais aquém estão os devires que escapam ao controle, as minorias que não param de ressuscitar e de resistir. Os devires não são de modo algum o mesmo que a história: ainda que estrutural, a história pensa com maior *[209]* frequência em termos de passado, presente, futuro. Dizem-nos que as revoluções acabam mal, ou que seu futuro engendra monstros: é uma velha ideia, não foi preciso esperar Stálin para saber o que já era verdade com Napoleão, com Cromwell. Quando se diz que as revoluções têm um mau futuro, nada se disse ainda sobre o futuro revolucionário das pessoas. Se os nômades nos interessaram tanto, é porque são um devir, e não fazem parte da história; estão excluídos dela mas se metamorfoseiam para reaparecerem de outro modo, sob formas inesperadas nas linhas de fuga de um campo social. É até uma de nossas diferenças em relação a Foucault: para ele, um campo social está atravessado por estratégias, para nós ele foge por todos os lados. Maio de 68 foi um devir irrompendo na história, e é por isso que ele foi tão mal compreendido pela história e tão mal assimilado pela sociedade histórica.

Falam-nos do futuro da Europa, e da necessidade de estabelecer o acordo entre os bancos, as seguradoras, os mercados internos, as empresas, as polícias, *consenso*, *consenso*, mas e o devir das pessoas? Será que a Europa nos prepara estranhos devires, tais como novos 68? O que as pessoas se tornarão? É a questão cheia de surpresas, que não é a do futuro, mas é a do atual ou do intempestivo. Os palestinos são o intempestivo do Oriente Médio, que levam ao seu mais alto ponto a questão do território. Nos Estados de não-direito o que conta é a natureza dos processos de libertação, forçosamente nomádicos. Nos Estados de direito não são os direitos adquiridos e codificados que contam, mas tudo aquilo que atualmente constitui um problema para o direito, tudo o que leva as conquistas a correrem o risco permanente de serem novamente questionadas. Não nos faltam tais problemas hoje, o código civil tende a rachar por todos os lados, e o código penal conhece uma crise igual à das prisões. O que é criador de direito não são os códigos ou as declarações, é a jurisprudência. A jurisprudência é a *[210]* filosofia do direito, e procede por singularidade, por prolongamento de singularidades. Certamente, tudo isso pode dar lugar a uma tomada de posição caso se tenha algo a dizer. Mas hoje não basta "tomar posição", mesmo concretamente. Seria preciso um mínimo de controle sobre os meios de expressão. Senão, logo nos vemos na televisão respondendo a perguntas idiotas, ou em vias de "discutir um pouco" num face a face ou num costas contra costas. Então, participar na produção do programa? É difícil, é um ofício, nem mesmo somos nós os clientes da televisão; os verdadeiros clientes são os anunciantes, os famosos liberais. Não seria divertido ver os filósofos serem patrocinados, vê-los com um monte de marcas no blusão, mas talvez já aconteça. Fala-se de uma renúncia dos intelectuais, mas como eles se expressariam com meios universais que não são menos ofensivos a todo pensamento? Creio que à filosofia não falta público nem propagação, mas ela é como que um estado clandestino do pensamento, um estado nômade. A única comunicação que poderíamos desejar, como perfeitamente adaptada ao mundo moderno, é o modelo de Adorno, a garrafa atirada ao mar, ou o modelo nietzschiano, a flecha lançada por um pensador e recolhida por um outro.

— A dobra, *dedicada a Leibniz (mesmo que o nome dele só venha no subtítulo e com um tema:* "Leibniz e o barroco"*), parece reatar com a longa série de seus livros dedicados a figuras de filósofos: Kant, Bergson, Nietzsche, Espinosa. No entanto, sente-se que é muito mais um livro* de *que um livro* sobre. *Ou antes, que é num grau espantoso ao mesmo tempo sobre Leibniz e o todo de seu [Deleuze] pensamento, mais que nunca inteiramente presente. Como sente esta coincidência? Dir-se-ia que esse livro reintegra, por cumplicidade com os conceitos de Leibniz, as séries de conceitos provenientes de seus [211] outros livros, como que retomando um pouco o jogo com todos os dados de maneira muito flexível e produzindo assim uma nova distribuição das cartas de caráter mais global.*

— Leibniz é fascinante porque talvez nenhum outro filósofo tenha criado mais do que ele. São noções de aparência extremamente bizarras, quase loucas. Sua unidade parece abstrata, do tipo "Todo predicado está no sujeito", só que o predicado não é um atributo, é um acontecimento, e o sujeito não é um sujeito, é um envoltório. Há entretanto uma unidade concreta do conceito, uma operação ou construção que se reproduz nesse plano, a Dobra, as dobras da terra, as dobras dos organismos, as dobras na alma. Tudo se dobra, se desdobra, se redobra em Leibniz, percebe-se nas dobras, e o mundo está dobrado em cada alma que dele desdobra tal ou qual região segundo a ordem do espaço e do tempo (harmonia). De pronto, pode-se presumir a situação não filosófica à qual Leibniz nos remete como uma capela barroca "sem porta nem janela" onde tudo é interior, ou como uma música barroca que extrai a harmonia da melodia. É o Barroco que eleva a dobra ao infinito, como se vê nos quadros de El Greco, nas esculturas de Bernini, e que nos abre uma compreensão não filosófica por perceptos e afectos.

Esse livro é para mim ao mesmo tempo uma recapitulação e uma continuação. É preciso acompanhar a um só tempo Leibniz (é sem dúvida o filósofo que teve mais discípulos criadores), mas também os artistas que lhe fazem eco, mesmo sem sabê-lo, Mallarmé, Proust, Michaux, Hantaï, Boulez, todos os que configuram um mundo de dobras e de desdobras. Tudo isso é um cruzamento, uma conexão múltipla. A dobra está longe de ter esgotado todas as suas potências hoje, é um bom conceito filosófico. Fiz o livro nesse sentido, e ele me deixa livre para o que eu gostaria de fazer agora. Eu gostaria de fazer um livro sobre: O que é *[212]* a filosofia? A condição é que ele seja curto. E também, Guattari e eu gostaríamos de retomar nosso trabalho conjunto, uma espécie de filosofia da Natureza, no momento em que se esfuma toda diferença entre a natureza e o artifício. Tais projetos bastam para uma velhice feliz.

(*Magazine Littéraire*, nº 257, setembro de 1988, entrevista a Raymond Bellour e François Ewald)

SOBRE LEIBNIZ
[213]

— Você sempre disse que filosofar era trabalhar conceitos tal como se trabalha a madeira, e produzir conceitos sempre novos capazes de responder ao apelo de problemas reais. O conceito de dobra *parece particularmente eficaz, já que permite, a partir da filosofia de Leibniz, caracterizar o barroco e entrar em relação com obras como as de Michaux ou de Borges, de Maurice Leblanc, de Gombrowicz, ou de Joyce, ou com territórios artísticos. É grande a tentação de lhe perguntar: um conceito com o qual se trabalha tão bem e é levado tão longe não corre o risco de, por inflação, perder o valor e expor-se às censuras dirigidas aos sistemas omniexplicativos?*

— Com efeito, há dobras em toda parte: nos rochedos, rios e bosques, nos organismos, na cabeça e no cérebro, nas almas ou no pensamento, nas obras ditas plásticas... Mas nem por isso a dobra é um universal. Creio que foi Lévi-Strauss quem mostrou a necessidade de distinguir as duas proposições seguintes: só as semelhanças diferem, e apenas as diferenças se assemelham. Num caso a semelhança entre as coisas é primeira, no outro a coisa difere, e difere primeiro de si mesma. As linhas retas se assemelham, mas as dobras variam, e cada dobra *[214]* vai diferindo. Não há duas coisas pregueadas do mesmo modo, nem dois rochedos, e não existe uma dobra regular para uma mesma coisa. Nesse sentido, há dobras por todo lado, mas a dobra não é um universal. É um "diferenciador", um "diferencial". Existem dois tipos de conceito, os universais e as singularidades. O conceito de dobra é sempre um singular, e ele só pode ganhar terreno variando, bifurcando, se metamorfoseando. Basta compreender, e sobretudo ver e tocar as montanhas a partir de seus dobramentos para que percam sua dureza, e para que os milênios voltem a ser o que são, não permanências, mas tempo em estado puro, e flexibilidades. Nada é mais perturbador que os movimentos incessantes do que parece imóvel. Leibniz diria: uma dança de partículas reviradas em dobras.

— *Todo seu livro mostra como a filosofia de Leibniz, pelo trabalho do conceito de dobra, pode conectar-se com realidades não filosóficas e esclarecê-las, e como a mônada pode remeter a outras obras pictóricas, esculturais, arquitetônicas ou literárias. Mas pode também esclarecer nosso mundo social e político? Se o social pôde tornar-se, como se disse, um "continente negro", não foi por ter sido pensado em termos mecânicos ou anatômicos (Marx), e não em termos de dobras, de drapeado, de textura?*

— É a proposição mais conhecida de Leibniz: cada alma ou sujeito (mônada) é inteiramente fechada, sem portas nem janelas, e contém o mundo inteiro no seu fundo muito sombrio, apenas iluminando uma pequena porção deste mundo, porção variável para cada um. Portanto, o mundo está dobrado em cada alma, mas diferentemente, já que existe um pequeno lado da dobra iluminado. À primeira vista é uma concepção muito bizarra. Mas, como sempre em filosofia, é uma situação concreta. Tento mostrar como este é o caso na arquitetura barroca, *[215]* no "interior" barroco, na luz barroca. Mas é também nossa situação de homens modernos, tendo em vista as novas maneiras com que as coisas se dobram. Na arte minimalista Tony Smith propõe a seguinte situação: um carro disparando por uma estrada escura, iluminada apenas pelos seus faróis, e o asfalto que desfila no para-brisa a toda velocidade. É uma versão moderna da mônada, o para-brisa funciona como uma pequena região luminosa. Você pergunta se podemos compreendê-lo socialmente e politicamente. Com certeza, e o barroco já era vinculado a uma política, a uma nova concepção da política. É em nossa vida social que o sistema janela-exterior tende a ser substituído pelo sistema aposento fechado-mesa de informação: nós lemos o mundo mais do que o vemos. Não só há uma "morfologia" social que põe em ação texturas, mas também o Barroco atua ao nível do urbanismo e da ordenação do território. A arquitetura sempre foi uma política, e toda nova arquitetura necessita de forças revolucionárias; é ela que pode dizer "Temos necessidade de um povo", mesmo que o arquiteto não seja ele mesmo um revolucionário. Na sua relação com a revolução bolchevista, o construtivismo está às voltas com o Barroco. O povo é sempre uma nova onda, uma nova dobra no tecido social; a obra é sempre um dobramento próprio aos novos materiais.

— *O conceito de dobra o conduziu naturalmente, e com Leibniz isso se impunha, a uma concepção da matéria e do vivente, assim como à afirmação de uma afinidade da matéria com a vida, com o organismo. Mas, lendo-o, perguntei-me diversas vezes como o que você diz da matéria ou do organismo vivo — mas também da percepção ou da dor, por exemplo — poderia ser entendido por um físico de hoje, um biólogo, um fisiologista etc. "A ciência da matéria tem por [216] modelo o "origami" (...) ou a arte da dobra de papel"; "se o vivente implica uma alma, é porque as proteínas já dão testemunho de uma atividade de percepção, de discriminação e distinção..."; "a matéria são texturas...": qual é o estatuto desse tipo de proposições?*

— A inflexão continua sendo um objeto privilegiado da matemática ou da teoria das funções. Que a matéria não seja composta por grãos, mas por dobras cada vez menores, como o diz Leibniz, a física das partículas e das forças pode dar um sentido a essa hipótese. Que o organismo seja o teatro e o agente de dobramentos endógenos, a biologia molecular reencontra esse fenômeno no seu nível, como a embriologia o havia feito no seu: a morfogênese é sempre questão de dobra, o que se vê em Thom. A noção complexa de textura tomou por toda parte uma importância decisiva. Que haja uma percepção molecular, essa ideia se impõe há muito tempo. Quando os etólogos definem os mundos animais, é de uma maneira muito próxima de Leibniz; eles mostram que um animal responde a um certo número de estímulos, por vezes muito poucos, que constituem seus pequenos clarões no fundo escuro da natureza imensa. Isso não quer dizer evidentemente que eles repetem o que Leibniz já havia dito. Desde o "préformismo" do século XVII até a genética de hoje, a dobra mudou de natureza, de função, de sentido. Mas vejamos: Leibniz mesmo não inventou a noção e a operação da dobra, que se conhecia anteriormente nas ciências e nas artes. No entanto, foi o primeiro pensador a "liberar" a dobra, levando-a ao infinito. Do mesmo modo, o Barroco é a primeira época em que a dobra vai ao infinito e transborda todo limite: El Greco, Bernini. É por isso que as grandes teses barrocas de Leibniz conservam uma tal atualidade científica, ainda que a dobra receba novas determinações *[217]* conforme sua potência de metamorfose. O mesmo acontece na arte: claro, na pintura as dobras de Hantaï não são as de El Greco. Mas foram os grandes pintores barrocos que liberaram as dobras das coerções e dos limites que tinham no românico, gótico ou clássico. Nesse aspecto, possibilitaram toda espécie de novas aventuras, que eles não prefiguraram, mas cuja abertura eles constituíram. Mallarmé, Michaux, são obcecados pelas dobras: isso não significa que são leibnizianos, mas que têm algo a fazer com Leibniz. A arte informal é feita de duas coisas: as texturas e as formas dobradas. Isso não quer dizer que Klee ou Dubuffet sejam barrocos. Mas o "gabinete logológico" se parece com o interior de uma mônada leibniziana. Sem o Barroco e sem Leibniz, a dobra não teria adquirido a autonomia que lhe permitiu em seguida criar tantos caminhos novos. Em suma, a elevação ou a autonomização da dobra no Barroco têm, em ritmos diferentes, consequências artísticas, científicas e filosóficas, que nem de longe estão esgotadas, e onde a cada vez se encontram "temas" leibnizianos.

— *Construir uma teoria do acontecimento não é para você uma tarefa nova. Entretanto, é em* A dobra *que esta teoria toma sua forma mais acabada, especialmente pelo confronto que você estabelece entre Leibniz e Whitehead. É difícil resumir aqui os componentes ou as condições que você atribui ao acontecimento. Basta dizer que você fala em termos de extensão, de intensidade, de indivíduo, de preensão, levando-nos a compreender que os acontecimentos de que trata não são os mesmos que os jornalistas e a mídia perseguem. O que a mídia capta, portanto, quando ela "fixa o acontecimento", ou em que condições a mídia poderia captar aquilo que* você *chama de "acontecimento"?*

— Não creio que a mídia tenha muitos *[218]* recursos ou vocação para captar um acontecimento. Primeiro, ela mostra com frequência o começo ou o fim, ao passo que um acontecimento, mesmo breve, mesmo instantâneo, se prolonga. Segundo, eles querem o espetacular, enquanto o acontecimento é inseparável de tempos mortos. Isto nem mesmo quer dizer que haja tempos mortos antes e depois do acontecimento; o tempo morto está no acontecimento. Por exemplo, o instante do acidente mais brutal se confunde com a imensidão do tempo vazio onde o vemos advir, nós, espectadores do que ainda não é, imersos num longuíssimo suspense. O acontecimento mais ordinário faz de nós um vidente, ao passo que a mídia nos transforma em simples olheiros passivos, no pior dos casos em *voyeurs*. Groethuysen dizia que todo acontecimento está por assim dizer num tempo em que nada se passa. Ignora-se a louca espera que existe no mais inesperado acontecimento. É a arte, não a mídia, que pode captar o acontecimento: por exemplo, o cinema capta o acontecimento, com Ozu, com Antonioni. Mas justamente, neles o tempo morto não está entre dois acontecimentos, ele está no próprio acontecimento, ele constitui sua espessura. É verdade que passei meu tempo escrevendo sobre essa noção de acontecimento: é que eu não acredito nas coisas. *A dobra* retoma essa questão sob outros aspectos. A frase que prefiro neste livro é "Há concerto esta noite". Em Leibniz, em Whitehead, tudo é acontecimento. O que Leibniz chama de predicado, sobretudo não é um atributo, é um acontecimento, "atravessar o Rubicão". Daí serem eles forçados a remanejar completamente a noção de sujeito: o que deve ser um sujeito, se seus predicados são acontecimentos? É como nas divisas barrocas.

— *Tenho a impressão que* A dobra, *mais que "desenvolver" sua obra daquilo que a "envolve", implica-a mais do que a explica. Dito de outra maneira, em vez de fazê-la avançar em direção a essa zona (sonho dos comentadores!) que [219] seria "a filosofia de Deleuze-disse", o livro a torna circular ou a "circunscreve". Com efeito, o conceito de dobra remete ao seu último livro,* Foucault *— a dobra que o pensamento faz no processo de subjetivação —, e Leibniz remete a uma "linhagem" de estudos vindos da história da filosofia e dedicados a Hume, a Espinosa, a Kant, a Nietzsche, a Bergson. Em suma,* A dobra *parece que se encaixa e se ajusta em qualquer segmento de sua obra, de modo que esta, perdoe-me a comparação, poderia assemelhar-se, digamos, a um despertador, do qual não saberíamos "o que" ele diz (a hora!), mas cujo interesse estaria nas infinitas possibilidades de desmontagens e montagens que ele oferece. Eu me engano totalmente?*

— Eu gostaria que tivesse razão, e creio que tem. É que cada um tem seus hábitos de pensamento: eu tendo a pensar as coisas como conjuntos de linhas a serem desemaranhadas, mas também cruzadas. Não gosto dos pontos, pôr os pontos nos is me parece estúpido. Não é a linha que está entre dois pontos, mas o ponto que está no entrecruzamento de diversas linhas. A linha nunca é regular, o ponto é apenas a inflexão da linha. Pois não são os começos nem os fins que contam, mas o meio. As coisas e os pensamentos crescem ou aumentam pelo meio, e é aí onde é preciso instalar-se, é sempre aí que isso se dobra. Por isso um conjunto multilinear pode comportar assentamentos, cruzamentos, inflexões que fazem comunicar a filosofia, a história da filosofia, a história simplesmente, as ciências, as artes. É como os desvios de um movimento que ocupa o espaço à maneira de um turbilhão, com a possibilidade de surgir num ponto qualquer.

— *Mas o ponto não é qualquer: aqui, é Leibniz. Todo mundo o conhece, mas por intermédio de* Cândido, *e da maneira com que Voltaire [220] zomba da fórmula "o melhor dos mundos possíveis". Vou fazer-lhe uma pergunta risível: ser assim ridicularizado prejudica a memória de um filósofo?*

— Mas Voltaire também é filósofo, e *Cândido* é um grande texto. O que está em jogo de Leibniz a Voltaire é um momento fundamental na história do pensamento. Voltaire é as Luzes, isto é, justamente um regime da luz, da matéria e da vida, da Razão, inteiramente diferente do regime barroco, mesmo se foi Leibniz quem preparou essa nova época: a razão teológica desmoronou, e torna-se pura e simplesmente humana. Mas o Barroco já é a crise da razão teológica: trata-se de uma última tentativa para reconstruir um mundo que está desmoronando. É um pouco assim que se define a esquizofrenia, e frequentemente se relacionou as danças ditas barrocas às atitudes esquizofrênicas. Ora, quando Leibniz diz que nosso mundo é o melhor dos mundos possíveis, é preciso ver que "o melhor" vem substituir aqui o Bem clássico, e que ele supõe precisamente a falência do Bem. A ideia de Leibniz é que nosso mundo é o melhor, não porque seja regido pelo Bem, mas porque está apto a produzir e a receber o novo: é uma ideia muito interessante, que Voltaire não há de repudiar. Está-se muito longe do otimismo que se atribui a Leibniz. E ainda mais, toda possibilidade do progresso em Leibniz repousa sobre a concepção barroca que ele tem da danação: é nas costas dos danados que aparece o melhor dos mundos possíveis, porque os danados renunciaram por sua própria conta ao progresso, e assim liberam quantidades infinitas de "progressividade". A esse respeito, a *Profissão de fé do filósofo* é um texto maravilhoso, Belaval fez dele uma belíssima tradução. Nesse livro há uma canção de Belzebu que sem dúvida é o mais belo texto sobre o mal. Hoje não é mais a razão teológica, *[221]* porém a razão humana, a das Luzes, que está em crise e desmorona. Daí porque, ao tentarmos salvar algo dela ou reconstruí-la, assistimos a um neobarroco, que talvez nos aproxime mais de Leibniz que de Voltaire.

— *Ao mesmo tempo em que sai* A dobra, *você publica um texto curto, luminoso, sobre a filosofia de François Châtelet,* Péricles e Verdi. *Ao fazer um livro importante de filosofia ser precedido e seguido por dois textos dedicados a Michel Foucault e a François Châtelet, amigos desaparecidos, será que você quis dar a entender alguma coisa (sobretudo no tocante ao sentido de* philein *em filosofia)? Você gostaria que na filosofia e/ou na escrita filosófica houvesse "música" — que Châtelet definia, você o lembra, como "instauração de relações humanas na matéria sonora"?*

— Você fala inicialmente de amizade. Fiz um livro sobre Foucault, e depois um pequeno texto sobre Châtelet. Mas para mim não são apenas homenagens a amigos. Esse livro sobre Foucault deveria ser plenamente um livro de filosofia, que se chamaria *Foucault* para mostrar que ele não virou historiador, que nunca deixou de ser um grande filósofo. François Châtelet, por sua vez, se considerava mais como "produtor" em filosofia, um pouco como se fala de produtor em cinema. Mas justamente, no cinema muitos realizadores queriam instaurar novos modos de "produção", de gestão. O que quero mostrar, rapidamente demais, é que esse desejo de Châtelet não lhe vem no lugar de uma filosofia, mas, ao contrário, implica uma filosofia, muito original e precisa. Resta a questão da amizade. Ela é interior à filosofia, já que o filósofo não é um sábio, mas um "amigo"; mas um "amigo" de quem, do quê? Kojève, Blanchot, Mascolo retomaram essa questão do amigo no *[222]* cerne do pensamento. Não se pode saber o que é a filosofia sem viver essa questão obscura, e sem respondê-la, mesmo se for difícil. Você também coloca a questão da música, já que Châtelet vivia dentro dela. A música, será que também dela o filósofo é o amigo? Parece-me certo que a filosofia é um verdadeiro canto que não é o da voz, e que ela tem o mesmo sentido do movimento que a música. Isto já vale para Leibniz, que, simultaneamente à música barroca, converte a Harmonia num conceito fundamental. Ele faz da filosofia uma produção de acordos/acordes. Será isso o amigo, o acordo/acorde que vai até a dissonância? Não se trata de colocar filosofia sobre a música, nem o inverso. É antes, ainda aí, uma operação de dobragem: "dobra vale dobra", como Boulez com Mallarmé.

(*Libération*, 22 de setembro de 1988,
entrevista a Robert Maggiori)

CARTA A RÉDA BENSMAÏA, SOBRE ESPINOSA
[223]

Estou impressionado com a extrema qualidade dos artigos dedicados a mim nesta edição, e portanto muito honrado com a iniciativa de *Lendemains*. Gostaria de responder a essa iniciativa colocando-a por inteiro sob a invocação de Espinosa, e dizer-lhes, se o permitem, que problema me ocupa a esse respeito. Seria uma maneira de "participar".

Creio que os grandes filósofos são também grandes estilistas. E, embora o vocabulário em filosofia faça parte do estilo, porque implica ora a invocação de termos novos ora a valorização insólita de termos ordinários, o estilo é sempre questão de sintaxe. Mas a sintaxe é um estado de tensão em direção a algo que não é sintático, nem mesmo linguageiro (um fora da linguagem). Em filosofia, a sintaxe tende para o movimento do conceito. Ora, o conceito não se move apenas em si mesmo (compreensão filosófica), mas também nas coisas e em nós: ele nos inspira novos *perceptos* e novos *afectos*, que constituem a compreensão não filosófica da própria filosofia. E a filosofia precisa de compreensão não filosófica tanto quanto de compreensão filosófica. Por isso é que a filosofia tem uma relação essencial com os não filósofos, e se dirige também a eles. Pode até *[224]* acontecer de os não filósofos terem uma compreensão direta da filosofia sem passar pela compreensão filosófica. O estilo em filosofia tende para esses três polos: o conceito ou novas maneiras de pensar, o percepto ou novas maneiras de ver e ouvir, o afecto ou novas maneiras de sentir. É a trindade filosófica, a filosofia como ópera: os três são necessários para *produzir o movimento*.

O que tem a ver Espinosa com essa questão? Mais parece não ter estilo, ele, que na *Ética* usa um latim tão escolar. Mas é preciso desconfiar quando se diz de alguém: "ele não tem estilo"; Proust já o notara, esses são frequentemente os maiores estilistas. A *Ética* se apresenta como um fluxo contínuo de definições, proposições, demonstrações, corolários, em que se reconhece um extraordinário desenvolvimento do conceito. É um rio irresistível, ininterrupto, de grandiosa serenidade. Mas, ao mesmo tempo, surgem "incidentes" sob o nome de *escólios*, descontínuos, autônomos, remetendo-se uns aos outros, operando com violência, constituindo uma cadeia vulcânica quebrada, todas as paixões murmurando, numa guerra das alegrias contra as tristezas. Dir-se-ia que esses escólios se inserem no curso geral do conceito, mas não: é antes uma segunda *Ética*, que coexiste com a primeira num ritmo inteiramente outro, num tom completamente diferente, e que duplica o movimento do conceito com todas as forças do afecto.

E depois há ainda uma terceira *Ética*, quando vem o *Livro Cinco*. Com efeito, Espinosa nos faz saber que até agora falou do ponto de vista do conceito, mas que vai mudar de estilo e nos falar por perceptos puros, intuitivos e diretos. Nesse ponto todavia se poderia acreditar que as demonstrações continuam, mas certamente já não é da mesma maneira. A via demonstrativa toma agora atalhos fulgurantes, opera por elipses, subentendidos e contrações, procede por *[225]* relâmpagos penetrantes, dilacerantes. Não é o rio nem o subterrâneo, mas o fogo. É uma terceira *Ética*, e embora apareça no fim, estava ali desde o início e coexiste com as duas outras.

Aí está o estilo de Espinosa sob seu latim aparentemente tranquilo. Ele faz três línguas vibrarem no interior da língua que parece adormecida, uma tripla tensão. A *Ética* é o livro do conceito (segundo gênero de conhecimento), mas também do afecto (primeiro gênero) e do percepto (terceiro gênero). Por isso o paradoxo de Espinosa é o de ser o mais filósofo dos filósofos, o mais puro num certo sentido, mas ao mesmo tempo aquele que mais se dirige aos não filósofos e que mais solicita uma compreensão não filosófica. É por essa razão que rigorosamente todo mundo é capaz de ler Espinosa, e de extrair dele grandes emoções, ou de renovar completamente sua percepção, mesmo entendendo mal os conceitos espinosianos. Em contrapartida, um historiador da filosofia que só compreende os conceitos de Espinosa não tem uma compreensão suficiente. Precisa-se das duas asas, como diria Jaspers, nem que seja para nos levar, filósofos e não filósofos, a um limite comum. São necessárias essas três asas pelo menos para fazer um estilo, um pássaro de fogo.

(*Lendemains*, nº 53, 1989)

V
POLÍTICA

CONTROLE E DEVIR
[229]

— Em sua vida intelectual parece que o problema do político sempre esteve presente. A participação nos movimentos (prisões, homossexuais, autonomia italiana, palestinos), por um lado, e a problematização constante das instituições, por outro, se sucedem e se entremeiam em sua obra, desde o livro sobre Hume até esse sobre Foucault. De onde nasce essa abordagem contínua da questão do político, e como ela conseguiu manter-se ao longo de toda sua obra? Por que a relação movimento-instituições é sempre problemática?

— O que me interessava eram as criações coletivas, mais que as representações. Nas "instituições" há todo um movimento que se distingue ao mesmo tempo das leis e dos contratos. Encontrei em Hume uma concepção muito criativa da instituição e do direito. No começo interessava-me mais pelo direito que pela política. O que me agradava, mesmo em Masoch e Sade, era a concepção inteiramente torcida do contrato segundo Masoch, da instituição segundo Sade, ambas relacionadas à sexualidade. Hoje em dia, o trabalho de François Ewald para restaurar uma filosofia do direito me parece essencial. O que me interessa não é a lei nem as leis (uma é noção vazia, e as outras são noções complacentes), nem *[230]* mesmo o direito ou os direitos, e sim a jurisprudência. É a jurisprudência que é verdadeiramente criadora de direito: ela não deveria ser confiada aos juízes. Não é o Código Civil que os escritores deveriam ler, mas antes as coletâneas de jurisprudência. Hoje já se pensa em estabelecer o direito da biologia moderna; mas tudo, na biologia moderna e nas novas situações que ela cria, nos novos acontecimentos que ela possibilita, é questão de jurisprudência. Não é de um comitê de sábios, comitê moral e pseudocompetente, que precisamos, mas de grupos de usuários. É aí que se passa do direito à política. Uma espécie de passagem à política, passagem que eu mesmo fiz com Maio de 68, à medida que tomava contato com problemas precisos, graças a Guattari, a Foucault, a Elie Sambar. O *anti-Édipo* foi todo ele um livro de filosofia política.

— *Você sentiu os acontecimentos de 68 como sendo o triunfo do Intempestivo, a realização da contraefetuação. Já nos anos que antecederam 68, no trabalho sobre Nietzsche, assim como um pouco mais tarde, em* Sacher-Masoch, *o político é reconquistado por você como possibilidade, acontecimento, singularidade. Há curto-circuitos que abrem o presente para o futuro. E que modificam, portanto, as próprias instituições. Porém, depois de 68, sua avaliação parece mais nuançada: o pensamento nômade se apresenta sempre, no tempo, sob a forma da contraefetuação instantânea; no espaço, apenas um "devir minoritário é universal". Mas o que é então essa universalidade do intempestivo?*

— É que cada vez mais fui sensível a uma distinção possível entre o devir e a história. Nietzsche dizia que nada de importante se faz sem uma "densa nuvem não histórica". Não é uma oposição entre o eterno e o histórico, nem entre a contemplação e a ação: Nietzsche fala do que se faz, do acontecimento *[231]* mesmo ou do devir. O que a história capta do acontecimento é sua efetuação em estados de coisa, mas o acontecimento em seu devir escapa à história. A história não é a experimentação, ela é apenas o conjunto das condições quase negativas que possibilitam a experimentação de algo que escapa à história. Sem a história, a experimentação permaneceria indeterminada, incondicionada, mas a experimentação não é histórica. Num grande livro de filosofia, *Clio*, Péguy explicava que há duas maneiras de considerar o acontecimento, uma consiste em passar ao longo do acontecimento, recolher dele sua efetuação na história, o condicionamento e o apodrecimento na história, mas outra consiste em remontar o acontecimento, em instalar-se nele como num devir, em nele rejuvenescer e envelhecer a um só tempo, em passar por todos os seus componentes ou singularidades. O devir não é história; a história designa somente o conjunto das condições, por mais recentes que sejam, das quais desviase a fim de "devir", isto é, para criar algo novo. É exatamente o que Nietzsche chama de o Intempestivo. Maio de 68 foi a manifestação, a irrupção de um devir em estado puro. Hoje está na moda denunciar os horrores da revolução. Nem mesmo é novidade, todo o romantismo inglês está repleto de uma reflexão sobre Cromwell muito análoga àquela que hoje se faz sobre Stálin. Diz-se que as revoluções têm um mau futuro. Mas não param de misturar duas coisas, o futuro das revoluções na história e o devir revolucionário das pessoas. Nem sequer são as mesmas pessoas nos dois casos. A única oportunidade dos homens está no devir revolucionário, o único que pode conjurar a vergonha ou responder ao intolerável.

— *Parece-me que* Mil platôs, *que eu considero uma grande obra filosófica, é também um [232] catálogo de problemas não resolvidos, sobretudo no domínio da filosofia política. Os pares conflitantes processo-projeto, singularidade-sujeito, composição-organização, linhas de fuga-dispositivos e estratégias, micro-macro etc., tudo isto não apenas permanece em aberto mas sem cessar é reaberto, com uma vontade teórica inusitada e uma violência que lembra o tom das heresias. Não tenho nada contra uma tal subversão, muito pelo contrário... Mas às vezes me parece ouvir uma nota trágica quando não se sabe para onde leva a "máquina de guerra".*

— Estou comovido com o que você disse. Creio que Félix Guattari e eu, talvez de maneiras diferentes, continuamos ambos marxistas. É que não acreditamos numa filosofia política que não seja centrada na análise do capitalismo e de seu desenvolvimento. O que mais nos interessa em Marx é a análise do capitalismo como sistema imanente que não para de expandir seus próprios limites, reencontrando-os sempre numa escala ampliada, porque o limite é o próprio Capital. *Mil platôs* indica muitas direções, sendo estas as três principais: primeiro, uma sociedade nos parece definir-se menos por suas contradições que por suas linhas de fuga, ela foge por todos os lados, e é muito interessante tentar acompanhar em tal ou qual momento as linhas de fuga que se delineiam. Seja o exemplo da Europa hoje: os políticos ocidentais tiveram muito trabalho para construí-la, os tecnocratas para uniformizar regimes e regulamentos. Mas a surpresa pode vir por parte das explosões entre os jovens, as mulheres, em função da simples ampliação dos limites (isto não é "tecnocratizável"); por outro lado, é engraçado pensar que esta Europa já está completamente ultrapassada antes mesmo de ter começado, ultrapassada pelos *[233]* movimentos que vêm do Leste. São linhas de fuga sérias. Há uma outra direção em *Mil platôs*, que já não consiste apenas em considerar as linhas de fuga mais do que as contradições, porém as minorias de preferência às classes. Enfim, uma terceira direção, que consiste em buscar um estatuto para as "máquinas de guerra", que não seriam definidas de modo algum pela guerra, mas por uma certa maneira de ocupar, de preencher o espaço-tempo, ou de inventar novos espaços-tempos: os movimentos revolucionários (não se leva em conta o suficiente, por exemplo, como a OLP teve que inventar um espaço-tempo no mundo árabe), mas também os movimentos artísticos são máquinas de guerra.

Você diz que tudo isso não está desprovido de uma tonalidade trágica, ou melancólica. Creio saber por quê. Fiquei vivamente impressionado com todas as páginas de Primo Levi onde ele explica que os campos nazistas introduziram em nós "a vergonha de ser um homem". Não, diz ele, que sejamos todos responsáveis pelo nazismo, como gostariam de nos fazer crer, mas fomos manchados por ele: mesmo os sobreviventes dos campos tiveram que fazer concessões, ainda que para sobreviver. Vergonha por ter havido homens para serem nazistas, vergonha de não ter podido ou sabido impedi-lo, vergonha de ter feito concessões, é tudo o que Primo Levi chama de "zona cinza". E quanto à vergonha de ser um homem, acontece de a experimentarmos também em circunstâncias simplesmente derrisórias: diante de uma vulgaridade grande demais no pensar, frente a um programa de variedades, face ao discurso de um ministro, diante de conversas de "*bons vivants*". É um dos motivos mais potentes da filosofia, o que faz dela forçosamente uma filosofia política. No capitalismo só uma coisa é universal, o mercado. Não existe Estado universal, justamente porque existe um mercado universal cujas sedes são os Estados, as *[234]* Bolsas. Ora, ele não é universalizante, homogeneizante, é uma fantástica fabricação de riqueza e de miséria. Os direitos do homem não nos obrigarão a abençoar as "alegrias" do capitalismo liberal do qual eles participam ativamente. Não há Estado democrático que não esteja totalmente comprometido nesta fabricação da miséria humana. A vergonha é não termos nenhum meio seguro para preservar, e principalmente para alçar os devires, inclusive em nós mesmos. Como um grupo se transformará, como recairá na história, eis o que nos impõe um perpétuo "cuidado". Já não dispomos da imagem de um proletário a quem bastaria tomar consciência.

— *Como o devir minoritário pode ser potente? Como a resistência pode tornar-se uma insurreição? Quando o leio, sempre fico na dúvida quanto à resposta que se deve dar a tais questões, mesmo se em suas obras encontro sempre o impulso que me obriga a reformulá-las teórica e praticamente. E, no entanto, ao ler suas páginas sobre a imaginação ou as noções comuns em Espinosa, ou quando acompanho em* A imagem-tempo *sua descrição sobre a composição do cinema revolucionário nos países do Terceiro Mundo, e que entendo com você a passagem da imagem à fabulação, à práxis política, tenho quase a impressão de ter achado uma resposta... Ou será que me engano? Existe então algum modo para que a resistência dos oprimidos possa tornar-se eficaz e para que o intolerável seja definitivamente banido? Existe um modo para que a massa de singularidades e de átomos, que somos todos, possa se apresentar como poder constituinte, ou, ao contrário, devemos aceitar o paradoxo jurídico segundo o qual o poder constituinte só pode ser definido pelo poder constituído?*

— As minorias e as maiorias não se distinguem *[235]* pelo número. Uma minoria pode ser mais numerosa que uma maioria. O que define a maioria é um modelo ao qual é preciso estar conforme: por exemplo, o europeu médio adulto macho habitante das cidades... Ao passo que uma minoria não tem modelo, é um devir, um processo. Pode-se dizer que a maioria não é ninguém. Todo mundo, sob um ou outro aspecto, está tomado por um devir minoritário que o arrastaria por caminhos desconhecidos caso consentisse em segui-lo. Quando uma minoria cria para si modelos, é porque quer tornar-se majoritária, e sem dúvida isso é inevitável para sua sobrevivência ou salvação (por exemplo, ter um Estado, ser reconhecido, impor seus direitos). Mas sua potência provém do que ela soube criar, e que passará mais ou menos para o modelo, sem dele depender. O povo é sempre uma minoria criadora, e que permanece tal, mesmo quando conquista uma maioria: as duas coisas podem coexistir porque não são vividas no mesmo plano. Os maiores artistas (de modo algum artistas populistas) apelam para um povo, e constatam que "o povo falta": Mallarmé, Rimbaud, Klee, Berg. No cinema, os Straub. O artista não pode senão apelar para um povo, ele tem necessidade dele no mais profundo de seu empreendimento, não cabe a ele criá-lo e nem o poderia. A arte é o que resiste: ela resiste à morte, à servidão, à infâmia, à vergonha. Mas o povo não pode se ocupar de arte. Como poderia criar para si e criar a si próprio em meio a abomináveis sofrimentos? Quando um povo se cria, é por seus próprios meios, mas de maneira a reencontrar algo da arte (Garrel diz que o Museu do Louvre contém, ele também, uma soma de sofrimento abominável), ou de maneira que a arte reencontre o que lhe faltava. A utopia não é um bom conceito: há antes uma "fabulação" comum ao povo e à arte. Seria preciso retomar a noção bergsoniana de fabulação para dar-lhe um sentido político. *[236]*

— *Em seu livro sobre Foucault e também na entrevista televisiva ao* Institut National de l'Audio-visuel *(INA), você propõe aprofundar o estudo de três práticas do poder: o Soberano, o Disciplinar, e sobretudo o de Controle sobre a "comunicação", que hoje está em vias de tornar-se hegemônico. Por um lado, este último cenário remete à mais alta perfeição da dominação, que toca tanto a fala como a imaginação, mas por outro lado, nunca tanto quanto hoje todos os homens, todas as minorias, todas as singularidades foram potencialmente capazes de retomar a palavra, e, com ela, um grau mais alto de liberdade. Na utopia marxiana dos* Grundrisse, *o comunismo se configura justamente como uma organização transversal de indivíduos livres, sobre uma base técnica que lhe garante as condições. O comunismo ainda é pensável? Na sociedade da comunicação ele é menos utópico que antes?*

— É certo que entramos em sociedades de "controle", que já não são exatamente disciplinares. Foucault é com frequência considerado como o pensador das sociedades de disciplina, e de sua técnica principal, o *confinamento* (não só o hospital e a prisão, mas a escola, a fábrica, a caserna). Porém, de fato, ele é um dos primeiros a dizer que as sociedades disciplinares são aquilo que estamos deixando para trás, o que já não somos. Estamos entrando nas sociedades de controle, que funcionam não mais por confinamento, mas por controle contínuo e comunicação instantânea. Burroughs começou a análise dessa situação. Certamente, não se deixou de falar da prisão, da escola, do hospital: essas instituições estão em crise. Mas se estão em crise, é precisamente em combates de retaguarda. O que está sendo implantado, às cegas, são novos tipos de sanções, de educação, de tratamento. Os hospitais abertos, o atendimento a domicílio etc., já surgiram há muito *[237]* tempo. Pode-se prever que a educação será cada vez menos um meio fechado, distinto do meio profissional — um outro meio fechado —, mas que os dois desaparecerão em favor de uma terrível formação permanente, de um controle contínuo se exercendo sobre o operário-aluno ou o executivo-universitário. Tentam nos fazer acreditar numa reforma da escola, quando se trata de uma liquidação. Num regime de controle nunca se termina nada. Você mesmo já analisou, há tempos, uma mutação do trabalho na Itália, com formas de trabalho temporário, a domicílio, que desde então se confirmaram (e novas formas de circulação e de distribuição dos produtos). A cada tipo de sociedade, evidentemente, pode-se fazer corresponder um tipo de máquina: as máquinas simples ou dinâmicas para as sociedades de soberania, as máquinas energéticas para as de disciplina, as cibernéticas e os computadores para as sociedades de controle. Mas as máquinas não explicam nada, é preciso analisar os agenciamentos coletivos dos quais elas são apenas uma parte. Face às formas próximas de um controle incessante em meio aberto, é possível que os confinamentos mais duros nos pareçam pertencer a um passado delicioso e benevolente. A pesquisa sobre os "universais da comunicação" tem razões de sobra para nos dar arrepios. É verdade que, mesmo antes das sociedades de controle terem efetivamente se organizado, as formas de delinquência ou de resistência (dois casos distintos) também aparecem. Por exemplo, a pirataria ou os vírus de computador, que substituirão as greves e o que no século XIX se chamava de "sabotagem" (o tamanco — *sabot* — emperrando a máquina). Você pergunta se as sociedades de controle ou de comunicação não suscitarão formas de resistência capazes de dar novas oportunidades a um comunismo concebido como "organização transversal de indivíduos livres". Não sei, talvez. Mas isso não dependeria de as minorias *[238]* retomarem a palavra. Talvez a fala, a comunicação, estejam apodrecidas. Estão inteiramente penetradas pelo dinheiro: não por acidente, mas por natureza. É preciso um desvio da fala. Criar foi sempre coisa distinta de comunicar. O importante talvez venha a ser criar vacúolos de não-comunicação, interruptores, para escapar ao controle.

— *Em* Foucault *e em* A dobra *parece que os processos de subjetivação são observados mais atentamente que em outras de suas obras. O sujeito é o limite de um movimento contínuo entre um dentro e um fora. Que consequências políticas tem essa concepção do sujeito? Se o sujeito não pode ser uma questão resolvida na exterioridade da cidadania, pode ele instaurar esta cidadania na potência e na vida? Pode tornar possível uma nova pragmática militante, que seja ao mesmo tempo* pietàs *para o mundo e construção muito radical? Qual política pode prolongar na história o esplendor do acontecimento e da subjetividade? Como pensar uma comunidade sem fundamento mas potente, sem totalidade mas, como em Espinosa, absoluta?*

— Pode-se com efeito falar de processos de subjetivação quando se considera as diversas maneiras pelas quais os indivíduos ou as coletividades se constituem como sujeitos: tais processos só valem na medida em que, quando acontecem, escapam tanto aos saberes constituídos como aos poderes dominantes. Mesmo se na sequência eles engendram novos poderes ou tornam a integrar novos saberes. Mas naquele preciso momento eles têm efetivamente uma espontaneidade rebelde. Não há aí nenhum retorno ao "sujeito", isto é, a uma instância dotada de deveres, de poder e de saber. Mais do que de processos de subjetivação, se poderia falar principalmente de novos tipos de acontecimentos: acontecimentos que não se explicam pelos estados de coisa que os suscitam, ou nos quais *[239]* eles tornam a cair. Eles se elevam por um instante, e é este momento que é importante, é a oportunidade que é preciso agarrar. Ou se poderia falar simplesmente do cérebro: o cérebro é precisamente este limite de um movimento contínuo reversível entre um Dentro e um Fora, esta membrana entre os dois. Novas trilhas cerebrais, novas maneiras de pensar não se explicam pela microcirurgia; ao contrário, é a ciência que deve se esforçar em descobrir o que pode ter havido no cérebro para que se chegue a pensar de tal ou qual maneira. Subjetivação, acontecimento ou cérebro, parece-me que é um pouco a mesma coisa. Acreditar no mundo é o que mais nos falta; nós perdemos completamente o mundo, nos desapossaram dele. Acreditar no mundo significa principalmente suscitar acontecimentos, mesmo pequenos, que escapem ao controle, ou engendrar novos espaços-tempos, mesmo de superfície ou volume reduzidos. É o que você chama de *pietàs*. É ao nível de cada tentativa que se avaliam a capacidade de resistência ou, ao contrário, a submissão a um controle. Necessita-se ao mesmo tempo de criação *e* povo.

(*Futur Antérieur*, nº 1, primavera de 1990, entrevista a Toni Negri)

POST-SCRIPTUM SOBRE AS SOCIEDADES DE CONTROLE *[240]*

I. Histórico

Foucault situou as *sociedades disciplinares* nos séculos XVIII e XIX; atingem seu apogeu no início do século XX. Elas procedem à organização dos grandes meios de confinamento. O indivíduo não cessa de passar de um espaço fechado a outro, cada um com suas leis: primeiro a família, depois a escola ("você não está mais na sua família"), depois a caserna ("você não está mais na escola"), depois a fábrica, de vez em quando o hospital, eventualmente a prisão, que é o meio de confinamento por excelência. É a prisão que serve de modelo analógico: a heroína de *Europa 51* pode exclamar, ao ver operários, "pensei estar vendo condenados...". Foucault analisou muito bem o projeto ideal dos meios de confinamento, visível especialmente na fábrica: concentrar; distribuir no espaço; ordenar no tempo; compor no espaço-tempo uma força produtiva cujo efeito deve ser superior à soma das forças elementares. Mas o que Foucault também sabia era da brevidade deste modelo: ele sucedia às *sociedades de soberania* cujo objetivo e funções eram completamente diferentes (açambarcar, mais do que organizar a produção, decidir sobre a morte mais do que gerir a vida); a transição foi feita progressivamente, e Napoleão *[241]* parece ter operado a grande conversão de uma sociedade à outra. Mas as disciplinas, por sua vez, também conheceriam uma crise, em favor de novas forças que se instalavam lentamente e que se precipitariam depois da Segunda Guerra Mundial: sociedades disciplinares é o que já não éramos mais, o que deixávamos de ser.

Encontramo-nos numa crise generalizada de todos os meios de confinamento, prisão, hospital, fábrica, escola, família. A família é um "interior", em crise como qualquer outro interior, escolar, profissional etc. Os ministros competentes não param de anunciar reformas supostamente necessárias. Reformar a escola, reformar a indústria, o hospital, o exército, a prisão; mas todos sabem que essas instituições estão condenadas, num prazo mais ou menos longo. Trata-se apenas de gerir sua agonia e ocupar as pessoas, até a instalação das novas forças que se anunciam. São as *sociedades de controle* que estão substituindo as sociedades disciplinares. "Controle" é o nome que Burroughs propõe para designar o novo monstro, e que Foucault reconhece como nosso futuro próximo. Paul Virilio também analisa sem parar as formas ultrarrápidas de controle ao ar livre, que substituem as antigas disciplinas que operavam na duração de um sistema fechado. Não cabe invocar produções farmacêuticas extraordinárias, formações nucleares, manipulações genéticas, ainda que elas sejam destinadas a intervir no novo processo. Não se deve perguntar qual é o regime mais duro, ou o mais tolerável, pois é em cada um deles que se enfrentam as liberações e as sujeições. Por exemplo, na crise do hospital como meio de confinamento, a setorização, os hospitais-dia, o atendimento a domicílio puderam marcar de início novas liberdades, mas também passaram a integrar mecanismos de controle que rivalizam com os *[242]* mais duros confinamentos. Não cabe temer ou esperar, mas buscar novas armas.

II. Lógica

Os diferentes internatos ou meios de confinamento pelos quais passa o indivíduo são variáveis independentes: supõe-se que a cada vez ele recomece do zero, e a linguagem comum a todos esses meios existe, mas é *analógica*. Ao passo que os diferentes modos de controle, os controlatos, são variações inseparáveis, formando um sistema de geometria variável cuja linguagem é *numérica* (o que não quer dizer necessariamente binária). Os confinamentos são *moldes*, distintas moldagens, mas os controles são uma *modulação*, como uma moldagem autodeformante que mudasse continuamente, a cada instante, ou como uma peneira cujas malhas mudassem de um ponto a outro. Isto se vê claramente na questão dos salários: a fábrica era um corpo que levava suas forças internas a um ponto de equilíbrio, o mais alto possível para a produção, o mais baixo possível para os salários; mas numa sociedade de controle a empresa substituiu a fábrica, e a empresa é uma alma, um gás. Sem dúvida a fábrica já conhecia o sistema de prêmios, mas a empresa se esforça mais profundamente em impor uma modulação para cada salário, num estado de perpétua metaestabilidade, que passa por desafios, concursos e colóquios extremamente cômicos. Se os jogos de televisão mais idiotas têm tanto sucesso é porque exprimem adequadamente a situação de empresa. A fábrica constituía os indivíduos em um só corpo, para a dupla vantagem do patronato que vigiava cada elemento na massa, e dos sindicatos que mobilizavam uma massa de resistência; mas a empresa introduz o tempo todo uma rivalidade inexpiável como sã emulação, excelente motivação que *[243]* contrapõe os indivíduos entre si e atravessa cada um, dividindo-o em si mesmo. O princípio modulador do "salário por mérito" tenta a própria Educação nacional: com efeito, assim como a empresa substitui a fábrica, a *formação permanente* tende a substituir a *escola*, e o controle contínuo substitui o exame. Este é o meio mais garantido de entregar a escola à empresa.

Nas sociedades de disciplina não se parava de recomeçar (da escola à caserna, da caserna à fábrica), enquanto nas sociedades de controle nunca se termina nada, a empresa, a formação, o serviço sendo os estados metaestáveis e coexistentes de uma mesma modulação, como que de um deformador universal. Kafka, que já se instalava no cruzamento dos dois tipos de sociedade, descreveu em *O processo* as formas jurídicas mais temíveis: a *quitação aparente* das sociedades disciplinares (entre dois confinamentos), a *moratória ilimitada* das sociedades de controle (em variação contínua) são dois modos de vida jurídicos muito diferentes, e se nosso direito, ele mesmo em crise, hesita entre ambos, é porque saímos de um para entrar no outro. As sociedades disciplinares têm dois polos: a assinatura que indica o *indivíduo*, e o número de matrícula que indica sua posição numa *massa*. É que as disciplinas nunca viram incompatibilidade entre os dois, e é ao mesmo tempo que o poder é massificante e individuante, isto é, constitui num corpo único aqueles sobre os quais se exerce, e molda a individualidade de cada membro do corpo (Foucault via a origem desse duplo cuidado no poder pastoral do sacerdote — o rebanho e cada um dos animais — mas o poder civil, por sua vez, iria converter-se em "pastor" laico por outros meios). Nas sociedades de controle, ao contrário, o essencial não é mais uma assinatura e nem um número, mas uma cifra: a cifra é uma *senha*, ao passo que as sociedades disciplinares são reguladas por *palavras de ordem* (tanto do ponto de vista da *[244]* integração quanto da resistência). A linguagem numérica do controle é feita de cifras, que marcam o acesso à informação, ou a rejeição. Não se está mais diante do par massa-indivíduo. Os indivíduos tornaram-se "*dividuais*", divisíveis, e as massas tornaram-se amostras, dados, mercados ou "*bancos*". É o dinheiro que talvez melhor exprima a distinção entre as duas sociedades, visto que a disciplina sempre se referiu a moedas cunhadas em ouro — que servia de medida padrão —, ao passo que o controle remete a trocas flutuantes, modulações que fazem intervir como cifra uma percentagem de diferentes amostras de moeda. A velha toupeira monetária é o animal dos meios de confinamento, mas a serpente o é das sociedades de controle. Passamos de um animal a outro, da toupeira à serpente, no regime em que vivemos, mas também na nossa maneira de viver e nas nossas relações com outrem. O homem da disciplina era um produtor descontínuo de energia, mas o homem do controle é antes ondulatório, funcionando em órbita, num feixe contínuo. Por toda parte o *surf* já substituiu os antigos *esportes*.

É fácil fazer corresponder a cada sociedade certos tipos de máquina, não porque as máquinas sejam determinantes, mas porque elas exprimem as formas sociais capazes de lhes darem nascimento e utilizá-las. As antigas sociedades de soberania manejavam máquinas simples, alavancas, roldanas, relógios; mas as sociedades disciplinares recentes tinham por equipamento máquinas energéticas, com o perigo passivo da entropia e o perigo ativo da sabotagem; as sociedades de controle operam por máquinas de uma terceira espécie, máquinas de informática e computadores, cujo perigo passivo é a interferência, e, o ativo, a pirataria e a introdução de vírus. Não é uma evolução tecnológica sem ser, mais profundamente, uma mutação do capitalismo. É uma mutação já bem conhecida que pode ser *[245]* resumida assim: o capitalismo do século XIX é de concentração, para a produção, e de propriedade. Por conseguinte, erige a fábrica como meio de confinamento, o capitalista sendo o proprietário dos meios de produção, mas também eventualmente proprietário de outros espaços concebidos por analogia (a casa familiar do operário, a escola). Quanto ao mercado, é conquistado ora por especialização, ora por colonização, ora por redução dos custos de produção. Mas atualmente o capitalismo não é mais dirigido para a produção, relegada com frequência à periferia do Terceiro Mundo, mesmo sob as formas complexas do têxtil, da metalurgia ou do petróleo. É um capitalismo de sobreprodução. Não compra mais matéria-prima e já não vende produtos acabados: compra produtos acabados, ou monta peças destacadas. O que ele quer vender são serviços, e o que quer comprar são ações. Já não é um capitalismo dirigido para a produção, mas para o produto, isto é, para a venda ou para o mercado. Por isso ele é essencialmente dispersivo, e a fábrica cedeu lugar à empresa. A família, a escola, o exército, a fábrica não são mais espaços analógicos distintos que convergem para um proprietário, Estado ou potência privada, mas são agora figuras cifradas, deformáveis e transformáveis, de uma mesma empresa que só tem gerentes. Até a arte abandonou os espaços fechados para entrar nos circuitos abertos do banco. As conquistas de mercado se fazem por tomada de controle e não mais por formação de disciplina, por fixação de cotações mais do que por redução de custos, por transformação do produto mais do que por especialização da produção. A corrupção ganha aí uma nova potência. O serviço de vendas tornou-se o centro ou a "alma" da empresa. Informam-nos que as empresas têm uma alma, o que é efetivamente a notícia mais terrificante do mundo. O marketing é agora o instrumento de controle social, e forma a *[246]* raça impudente de nossos senhores. O controle é de curto prazo e de rotação rápida, mas também contínuo e ilimitado, ao passo que a disciplina era de longa duração, infinita e descontínua. O homem não é mais o homem confinado, mas o homem endividado. É verdade que o capitalismo manteve como constante a extrema miséria de três quartos da humanidade, pobres demais para a dívida, numerosos demais para o confinamento: o controle não só terá que enfrentar a dissipação das fronteiras, mas também a explosão dos guetos e favelas.

III. Programa

Não há necessidade de ficção científica para se conceber um mecanismo de controle que dê, a cada instante, a posição de um elemento em espaço aberto, animal numa reserva, homem numa empresa (coleira eletrônica). Félix Guattari imaginou uma cidade onde cada um pudesse deixar seu apartamento, sua rua, seu bairro, graças a um cartão eletrônico (dividual) que abriria as barreiras; mas o cartão poderia também ser recusado em tal dia, ou entre tal e tal hora; o que conta não é a barreira, mas o computador que detecta a posição de cada um, lícita ou ilícita, e opera uma modulação universal.

O estudo sociotécnico dos mecanismos de controle, apreendidos em sua aurora, deveria ser categorial e descrever o que já está em vias de ser implantado no lugar dos meios de confinamento disciplinares, cuja crise todo mundo anuncia. Pode ser que meios antigos, tomados de empréstimo às antigas sociedades de soberania, retornem à cena, mas devidamente adaptados. O que conta é que estamos no início de alguma coisa. No *regime das prisões*: a busca de penas "substitutivas", ao menos para a pequena delinquência, *[247]* e a utilização de coleiras eletrônicas que obrigam o condenado a ficar em casa em certas horas. No *regime das escolas*: as formas de controle contínuo, avaliação contínua, e a ação da formação permanente sobre a escola, o abandono correspondente de qualquer pesquisa na Universidade, a introdução da "empresa" em todos os níveis de escolaridade. No *regime dos hospitais*: a nova medicina "sem médico nem doente", que resgata doentes potenciais e sujeitos à risco, que de modo algum demonstra um progresso em direção à individuação, como se diz, mas substitui o corpo individual ou numérico pela cifra de uma matéria "dividual" a ser controlada. No *regime de empresa*: as novas maneiras de tratar o dinheiro, os produtos e os homens, que já não passam pela antiga forma-fábrica. São exemplos frágeis, mas que permitiriam compreender melhor o que se entende por crise das instituições, isto é, a implantação progressiva e dispersa de um novo regime de dominação. Uma das questões mais importantes diria respeito à inaptidão dos sindicatos: ligados, por toda sua história, à luta contra disciplinas ou nos meios de confinamento, conseguirão adaptar-se ou cederão o lugar a novas formas de resistência contra as sociedades de controle? Será que já se pode apreender esboços dessas formas por vir, capazes de combater as alegrias do marketing? Muitos jovens pedem estranhamente para serem "motivados", e solicitam novos estágios e formação permanente; cabe a eles descobrir a que estão sendo levados a servir, assim como seus antecessores descobriram, não sem dor, a finalidade das disciplinas. Os anéis de uma serpente são ainda mais complicados que os buracos de uma toupeira.

(*L'Autre Journal*, nº 1, maio de 1990)

ÍNDICE ONOMÁSTICO

As páginas indicadas são as da edição original francesa, inseridas entre colchetes e em itálico ao longo do texto.

BIBLIOGRAFIA DE GILLES DELEUZE

David Hume, sa vie, son oeuvre, avec un exposé de sa philosophie (com André Cresson). Paris: PUF, 1952.

Empirisme et subjectivité: essai sur la nature humaine selon Hume. Paris: PUF, 1953 [ed. bras.: *Empirismo e subjetividade: ensaio sobre a natureza humana segundo Hume*, trad. Luiz B. L. Orlandi, São Paulo: Editora 34, 2001].

Instincts et institutions: textes et documents philosophiques (organização, prefácio e apresentações de Gilles Deleuze). Paris: Hachette, 1953 [ed. bras.: "Instintos e instituições", trad. Fernando J. Ribeiro, in Carlos Henrique Escobar (org.), *Dossier Deleuze*, Rio de Janeiro: Hólon, 1991, pp. 134-7].

Nietzsche et la philosophie. Paris: PUF, 1962 [ed. bras.: *Nietzsche e a filosofia*, trad. Ruth Joffily Dias e Edmundo Fernandes Dias, Rio de Janeiro: Editora Rio, 1976; nova ed. bras.: trad. Mariana de Toledo Barbosa e Ovídio de Abreu Filho, São Paulo: n-1 edições, 2018].

La Philosophie critique de Kant. Paris: PUF, 1963 [ed. bras.: *Para ler Kant*, trad. Sônia Pinto Guimarães, Rio de Janeiro: Francisco Alves, 1976; nova ed. bras.: *A filosofia crítica de Kant*, trad. Fernando Scheibe, Belo Horizonte: Autêntica, 2018].

Proust et les signes. Paris: PUF, 1964; 4ª ed. atualizada, 1976 [ed. bras.: *Proust e os signos*, trad. da 4ª ed. fr. Antonio Piquet e Roberto Machado, Rio de Janeiro: Forense Universitária, 1987].

Nietzsche. Paris: PUF, 1965 [ed. port.: *Nietzsche*, trad. Alberto Campos, Lisboa: Edições 70, 1981].

Le Bergsonisme. Paris: PUF, 1966 [ed. bras.: *Bergsonismo*, trad. Luiz B. L. Orlandi, São Paulo: Editora 34, 1999 (incluindo os textos "A concepção da diferença em Bergson", 1956, trad. Lia Guarino e Fernando Fagundes Ribeiro, e "Bergson", 1956, trad. Lia Guarino)].

Présentation de Sacher-Masoch. Paris: Minuit, 1967 [ed. bras.: *Apresentação de Sacher-Masoch*, trad. Jorge Bastos, Rio de Janeiro: Taurus, 1983; nova ed. como *Sacher-Masoch: o frio e o cruel*, Rio de Janeiro: Zahar, 2009].

Différence et répétition. Paris: PUF, 1968 [ed. bras.: *Diferença e repetição*, trad. Luiz B. L. Orlandi e Roberto Machado, Rio de Janeiro: Graal, 1988, 2ª ed., 2006; 3ª ed., Rio de Janeiro: Paz e Terra, 2018].

Spinoza et le problème de l'expression. Paris: Minuit, 1968 [ed. bras.: *Espinosa e o problema da expressão*, trad. GT Deleuze — 12, coord. Luiz B. L. Orlandi, São Paulo: Editora 34, 2017].

Logique du sens. Paris: Minuit, 1969 [ed. bras.: *Lógica do sentido*, trad. Luiz Roberto Salinas Fortes, São Paulo: Perspectiva, 1982].

Spinoza. Paris: PUF, 1970 [ed. port.: *Espinoza e os signos*, trad. Abílio Ferreira, Porto: Rés-Editora, s.d.].

L'Anti-Œdipe: capitalisme et schizophrénie 1 (com Félix Guattari). Paris: Minuit, 1972 [ed. bras.: *O anti-Édipo: capitalismo e esquizofrenia 1*, trad. Georges Lamazière. Rio de Janeiro: Imago, 1976; nova ed. bras.: trad. Luiz B. L. Orlandi, São Paulo: Editora 34, 2010].

Kafka: pour une littérature mineure (com Félix Guattari). Paris: Minuit, 1975 [ed. bras.: *Kafka: por uma literatura menor*, trad. Júlio Castañon Guimarães, Rio de Janeiro: Imago, 1977; nova ed. bras.: trad. Cíntia Vieira da Silva, Belo Horizonte: Autêntica, 2014].

Rhizome (com Félix Guattari). Paris: Minuit, 1976 (incorporado em *Mille plateaux*).

Dialogues (com Claire Parnet). Paris: Flammarion, 1977; nova edição, 1996 [ed. bras.: *Diálogos*, trad. Eloisa Araújo Ribeiro, São Paulo: Escuta, 1998; nova ed. bras.: trad. Eduardo Mauricio da Silva Bomfim, São Paulo: Lumme, 2017].

Superpositions (com Carmelo Bene). Paris: Minuit, 1979.

Mille plateaux: capitalisme et schizophrénie 2 (com Félix Guattari). Paris: Minuit, 1980 [ed. bras. em cinco volumes: *Mil platôs: capitalismo e esquizofrenia 2*, trad. Aurélio Guerra Neto, Célia Pinto Costa, Ana Lúcia de Oliveira, Lúcia Cláudia Leão, Suely Rolnik, Peter Pál Pelbart e Janice Caiafa, Rio de Janeiro: Editora 34, 1995 (vols. 1 e 2); São Paulo: Editora 34, 1996 (vol. 3) e 1997 (vols. 4 e 5).

Spinoza: philosophie pratique. Paris: Minuit, 1981 [ed. bras.: *Espinosa: filosofia prática*, trad. Daniel Lins e Fabien Pascal Lins, São Paulo: Escuta, 2002].

Francis Bacon: logique de la sensation, vols. 1 e 2. Paris: Différence, 1981, 2ª ed. aumentada, 1984 [ed. bras.: *Francis Bacon: lógica da sensação* (vol. 1), trad. Aurélio Guerra Neto, Bruno Lara Resende, Ovídio de Abreu, Paulo Germano de Albuquerque e Tiago Seixas Themudo, coord. Roberto Machado, Rio de Janeiro: Zahar, 2007].

Cinéma 1 — L'Image-mouvement. Paris: Minuit, 1983 [ed. bras.: *Cinema 1 — A imagem-movimento*, trad. Stella Senra, São Paulo: Brasiliense, 1985; 2ª ed. revista, São Paulo: Editora 34, 2018].

Cinéma 2 — L'Image-temps. Paris: Minuit, 1985 [ed. bras.: *Cinema 2 — A imagem-tempo*, trad. Eloisa Araújo Ribeiro, São Paulo: Brasiliense, 1990; 2ª ed. revista, São Paulo: Editora 34, 2018].

Foucault. Paris: Minuit, 1986 [ed. bras.: trad. Claudia Sant'Anna Martins, São Paulo: Brasiliense, 1988].

Le Pli: Leibniz et le baroque. Paris: Minuit, 1988 [ed. bras.: *A dobra: Leibniz e o barroco*, trad. Luiz B. L. Orlandi, Campinas: Papirus, 1991; 2ª ed. revista, 2000].

Périclès et Verdi: la philosophie de François Châtelet. Paris: Minuit, 1988 [ed. bras.: *Péricles e Verdi: a filosofia de François Châtelet*, trad. Hortência S. Lencastre, Rio de Janeiro: Pazulin, 1999].

Pourparlers. Paris: Minuit, 1990 [ed. bras.: *Conversações*, trad. Peter Pál Pelbart, Rio de Janeiro: Editora 34, 1992].

Qu'est-ce que la philosophie? (com Félix Guattari). Paris: Minuit, 1991 [ed. bras.: *O que é a filosofia?*, trad. Bento Prado Jr. e Alberto Alonso Muñoz, Rio de Janeiro: Editora 34, 1992].

L'Épuisé, em seguida a *Quad, Trio du Fantôme, ... que nuages..., Nacht und Träume* (de Samuel Beckett). Paris: Minuit, 1992 [ed. bras.: *Sobre o teatro: O esgotado e Um manifesto de menos*, trad. Fátima Saadi, Ovídio de Abreu e Roberto Machado, intr. Roberto Machado, Rio de Janeiro: Zahar, 2010].

Critique et clinique. Paris: Minuit, 1993 [ed. bras.: *Crítica e clínica*, trad. Peter Pál Pelbart, São Paulo: Editora 34, 1997].

L'Île déserte et autres textes (textes et entretiens 1953-1974) (org. David Lapoujade). Paris: Minuit, 2002 [ed. bras.: *A ilha deserta e outros textos (textos e entrevistas 1953-1974)*, trad. Cíntia Vieira da Silva, Christian Pierre Kasper, Daniel Lins, Fabien Pascal Lins, Francisca Maria Cabrera, Guido de Almeida, Hélio Rebello Cardoso Júnior, Hilton F. Japiassú, Lia de Oliveira Guarino, Fernando Fagundes Ribeiro, Luiz B. L. Orlandi, Milton Nascimento, Peter Pál Pelbart, Roberto Machado, Rogério da Costa Santos, Tiago Seixas Themudo, Tomaz Tadeu e Sandra Corazza, coord. e apr. Luiz B. L. Orlandi, São Paulo: Iluminuras, 2006].

Deux régimes de fous (textes et entretiens 1975-1995) (org. David Lapoujade). Paris: Minuit, 2003 [ed. bras.: *Dois regimes de loucos: textos e entrevistas (1975-1995)*, trad. Guilherme Ivo, rev. técnica Luiz B. L. Orlandi, São Paulo: Editora 34, 2016].

Lettres et autres textes (org. David Lapoujade). Paris: Minuit, 2015 [ed. bras.: *Cartas e outros textos*, trad. Luiz B. L. Orlandi, São Paulo: n-1 edições, 2018].

SOBRE O AUTOR

Gilles Deleuze nasceu em 18 de janeiro de 1925, em Paris, numa família de classe média. Perdeu seu único irmão, mais velho do que ele, durante a luta contra a ocupação nazista. Gilles apaixonou-se por literatura, mas descobriu a filosofia nas aulas do professor Vial, no Liceu Carnot, em 1943, o que o levou à Sorbonne no ano seguinte, onde obteve o Diploma de Estudos Superiores em 1947 com um estudo sobre David Hume (publicado em 1953 como *Empirismo e subjetividade*). Entre 1948 e 1957 lecionou no Liceu de Amiens, no de Orléans e no Louis-Le-Grand, em Paris. Já casado com a tradutora Fanny Grandjouan em 1956, com quem teve dois filhos, trabalhou como assistente em História da Filosofia na Sorbonne entre 1957 e 1960. Foi pesquisador do CNRS até 1964, ano em que passou a lecionar na Faculdade de Lyon, lá permanecendo até 1969. Além de Jean-Paul Sartre, teve como professores Ferdinand Alquié, Georges Canguilhem, Maurice de Gandillac, Jean Hyppolite e Jean Wahl. Manteve-se amigo dos escritores Michel Tournier, Michel Butor, Jean-Pierre Faye, além dos irmãos Jacques e Claude Lanzmann e de Olivier Revault d'Allonnes, Jean-Pierre Bamberger e François Châtelet. Em 1962 teve seu primeiro encontro com Michel Foucault, a quem muito admirava e com quem estabeleceu trocas teóricas e colaboração política. A partir de 1969, por força dos desdobramentos de Maio de 1968, firmou sua sólida e produtiva relação com Félix Guattari, de que resultaram livros fundamentais como *O anti-Édipo* (1972), *Mil platôs* (1980) ou *O que é a filosofia?* (1991). De 1969 até sua aposentadoria em 1987 deu aulas na Universidade de Vincennes (hoje Paris VIII), um dos centros do ideário de Maio de 68. Em 1995, quando o corpo já doente não pôde sustentar a vitalidade de seus encontros, o filósofo decide conceber a própria morte: seu suicídio ocorre em Paris em 4 de novembro desse ano. O conjunto de sua obra — em que se destacam ainda os livros *Diferença e repetição* (1968), *Lógica do sentido* (1969), *Cinema 1: A imagem-movimento* (1983), *Cinema 2: A imagem-tempo* (1985), *Crítica e clínica* (1993), entre outros — deixa ver, para além da pluralidade de conexões que teceu entre a filosofia e seu "fora", a impressionante capacidade de trabalho do autor, bem como sua disposição para a escrita conjunta, e até para a coescrita, como é o caso dos livros assinados com Guattari.

SOBRE O TRADUTOR

Peter Pál Pelbart nasceu em Budapeste, Hungria, em 1956, e ainda criança mudou-se com sua família para o Brasil. Formado em Filosofia pela Universidade de Paris IV — Sorbonne, em 1983, concluiu o mestrado na Pontifícia Universidade Católica de São Paulo em 1988. Fez o doutorado na Faculdade de Filosofia, Letras e Ciências Humanas da Universidade de São Paulo em 1996, e a livre-docência na PUC-SP em 2004, instituição onde leciona desde 1989, sendo atualmente professor titular com atuação nas áreas de Filosofia e Psicologia Clínica.

É autor dos livros *Da clausura do fora ao fora da clausura* (Brasiliense, 1989; 2ª ed., Iluminuras, 2009), *A nau do tempo-rei* (Imago, 1993), *O tempo não-reconciliado: imagens de tempo em Deleuze* (Perspectiva, 1998), *A vertigem por um fio* (Iluminuras, 2000), *Vida capital: ensaios de biopolítica* (Iluminuras, 2003), *Nietzsche e Deleuze: bárbaros, civilizados* (organização com Daniel Lins, Annablume, 2004), *Filosofía de la deserción: niilismo, locura y comunidad* (Buenos Aires, Tinta Limón, 2009) e *O avesso do niilismo: cartografias do esgotamento* (n-1 edições, 2013).

É coordenador da Cia. Teatral Ueinzz, coeditor da n-1 edições e autor das traduções de *Conversações* (1992) e *Crítica e clínica* (1997), de Gilles Deleuze, além de parte do volume 5 de *Mil platôs*, de Gilles Deleuze e Félix Guattari (1997), todas elas publicadas pela Editora 34.

Este livro foi composto em Sabon,
pela Bracher & Malta, com CTP da
New Print e impressão da Graphium
em papel Pólen Soft 80 g/m² da Cia.
Suzano de Papel e Celulose para a
Editora 34, em outubro de 2021.